主编　鲁　虹　　　　　　艺术主持　傅中望

中国当代美术图鉴

1979—1999

雕塑分册

湖　北　教　育　出　版　社

序 鲁 虹

鲁 虹 1954年生，祖籍江西。1981年毕业于湖北美术学院。现为国家二级美术师，中国美术家协会会员，任职于深圳美术馆研究部。其美术作品曾5次参加全国美展，多次参加省市美展。出版著作有《鲁虹美术文集》、《现代水墨二十年》。曾参与《美术思潮》、《美术文献》及《画廊》的编辑工作。有约50万字的文章发表在各种图书及刊物上。近年来，参加了多次学术活动的策划及组织工作。

改革开放的20年，是美术创作大转型的20年，也是美术创作空前繁荣的20年，在此期间，一些艺术家创作的优秀作品已经构成了现代艺术传统中的重要组成部分。关于这一点，学术界早已达成了共识。为了系统介绍改革开放20年来中国美术创作取得的巨大成就，湖北教育出版社在慎重研究了我的建议后，决定投资出版系列画册《中国当代美术图鉴1979－1999》，因为这与该社"弘扬学术、传播新知、服务教育"的出版方针正好吻合。《中国当代美术图鉴 1979－1999》共分水墨、油画、版画、雕塑、水彩、观念艺术6个分册。每个分册分别辑录了不同艺术种类的重要艺术家从1979至1999年20年间的重要作品。可以说，这套大型画册不仅是学术性、资料性、文献性、直观性很强的美术图录史，也是广大艺术爱好者了解美术创作情况、提高艺术修养、增强审美感知能力的良师益友。在"读图时代"，本图鉴的确不失为一种适应各方面人士精神需求的高品位的美术读物。

当然，出版一套反映改革开放20年来中国美术成就的大型画册是有着相当难度的，其一是它离我们太近，使我们很难站在合适的高度上，冷静客观地把握它；其二是由于改革开放形成了多元化的创作局面，我们不可能像"文革"时期，按单一的艺术标准挑选艺术家与作品。因此，在编辑本画册的过程中，我们一方面努力把作品的选择与特定的文化背景结合起来，即在注重各种不同的价值追求与创作倾向时，更注重作品对艺术新发展方向的影响、在同类作品中的独创性以及在艺术文化的一般潮流中的代表性——正是从这样的角度出发，那些虽然在运用传统标准上惟妙惟肖，但由于未能与当代文化构成对位关系，且缺乏新意的作品不在我们的挑选范围内。另一方面，我们比较注重"效果历史"的原则，即尽可能地挑选那些在美术界已经产生广泛学术影响的画家与作品。如同迦达默尔所说，"效果历史"的原则已经预先规定了那些值得我们关注和研究的学术问题，它比按照空洞的美学、哲学问题去挑选艺术家与作品要有意义得多。我们认为：只要以艺术史及当代文化提供的线索为依据，认真研究"效果历史"暗含的艺术问题，我们就有可能较好地把握那些真正具有艺术史意义的艺术家及作品。遗憾的是，尊重"效果历史"的原则是一回事，如何具体掌握真正具有艺术史意义的艺术家与作品又是一回事。因为编者的视角、水平及掌握的资料都有限，难免会挂一漏万，特敬请广大读者谅解。

在这里，还要作出几点说明：

第一，由于20世纪90年代的美术创作成就远比20世纪80年代的美术创作成就高，故每个分册在20世纪90年代的分量上难免会重一些。

第二，为了便于大家清楚地了解艺术家的创作意图及作品的意义所在，我们在大量作品的图片下都配上了一定的文字说明，文字力求通俗而不失学术水准。但因篇幅有限，不可能作深入细致的解说，如果有读者希望深入了解某位艺术家与某件作品，还需查阅相关资料。

第三，按照我们的初衷，每一作品的出场时间段应依照艺术家的艺术活动与突出表现来考虑，这样可以使艺术作品构成历史的顺序，进而为建立艺术的谱系学和编年史作一点积累的工作。事实上本画册中的大部分作品也是按这一原则编排的，但由于一些资料很难收集，另外也由于部分作者的要求，我对一些作品的出场时间作了调整。比如在《水墨》分册中，"新文人画"作为对"85美术新潮"过分西化倾向的反拨，其作品本应出现在20世纪80年代末与90年代初，但因个别作者更愿意发表近作，加上他们的创作思路、价值追求与艺术风格并没有太大的变化，所以我们认可了他们的要求。这种情况也可以见于其他分册。

第四，由于少数作品的图片是从画册与刊物上翻拍下来的，所以会出现印刷质量较差及没有标明创作时间或作品尺寸的问题。

第五，本分册共收了73位艺术家的143幅作品，每位艺术家分别录入作品一至三件。

第六，作品都是按创作年代来排序的，同一年创作的作品则按艺术家的姓氏笔画为序。

第七，艺术家简介按姓氏笔画排列。

最后，谨向所有提供资料及作品照片的艺术家、批评家以及湖北教育出版社的领导与编辑们表示谢意，因为没有他们的大力支持，是不可能顺利出版此画册的。

2000年11月 于深圳东湖

主持人语

傅中望

20世纪的最后20年是中国政治、经济、文化发生巨大变革的历史性时期，这20年也是中国雕塑艺术出现转折性变化的年代。在这样一个起伏跌宕的社会背景下，广大雕塑家积极、自觉地探寻各自的艺术途径，使雕塑创作呈现出多元并进的局面。

《中国当代美术图鉴1979－1999雕塑分册》列入100余位雕塑家的作品，足以展示这个时期的艺术成就。从这些作品中，我们能够感受到一个时代的脉络，一种人文精神的张扬，雕塑家用丰富的艺术语言传达出各自的生存处境和对社会对个体生命的思考。从这些作品中，我们亦明显地看到，传统意义上的雕塑概念逐渐发生变化，无论是在形态、材料、还是在观念上都得到前所未有的拓展。雕塑家从对体量、空间、形式的研究发展到对现成物品的利用，对材料物性语言的探讨和非雕塑方式的观念性表达。这一切已无法用传统雕塑的理论进行描述和判断。雕塑，这个古老的艺术"品种"需要用全新的目光加以审视。

从某种意义上讲，这本雕塑图鉴是这个特殊时段的雕塑历史文献，在作品的选编过程中，一方面强调时间性，同时更注重在这个时期内中国雕塑如何从传统形态到现代形态的变化过程，进而突现在这个过程中有影响的雕塑家和有意义的作品。

作为艺术主持人，确切地讲是这次出版活动的召集人，我受湖北教育出版社与主编鲁虹先生之托，能为这本书的编辑出版做些工作而深感荣幸。作为一个职业雕塑作者，一个对这段历史时期有着直接体验的参与者，有责任、有义务与大家共同做好这项有意义的工作。本书得到国内雕塑家的关注，提供了珍贵的作品图片及相关资料，著名美术理论家孙振华博士撰写的文章《1979－1999年中国雕塑概观》为此书提供了一条明晰的雕塑艺术发展线索，在此，一并表示诚挚的谢意。

中国雕塑概观 1979-1999年

孙振华

孙振华 男，1956年11月出生于中国湖北。现为中国美术家协会会员、中国美术学院博士、国家一级美术师、深圳雕塑院院长。

华中师范大学中文系毕业后留校，1981年任文艺理论教研室助教，1984年读该校文艺美学专业硕士研究生，1987年获硕士学位；1986年考入中国美术学院美术学专业博士研究生，1989年获博士学位后留校任讲师、副教授，1993年调入深圳雕塑院，1997年晋升为一级美术师。

组织、策划各种艺术展览多次；并有较丰富的组织大型城市雕塑创作的经验；出版专著有《生命·神祇·时空——雕塑文化论》、《美术与美育》、《中国雕塑史》、《走向荒原——孙振华雕塑文集》。

一

1978年5月11日，光明日报发表《实践是检验真理的惟一标准》，并引发了一场争论。从此，独立思想的气息开始在文艺界弥漫；三个月后，上海《文汇报》发表卢新华的小说《伤痕》，这意味着，在文学艺术方面，一个新的时期开始了。

1979年对于中国雕塑来说，是相当重要的一年。尽管在后来，人们总是爱说雕塑的变化比较绘画和其他艺术，总是慢半拍，但至少在这一年里，我们看不出来雕塑慢在哪里。

1979年9月27日，第一届《星星美展》在中国美术馆外展出，王克平的木雕《沉默》、《呼吸》、《万万岁》在这个展览中格外引人注目，王克平的作品，标志着中国雕塑一个巨大历史变化的开始。和文化革命中的绝大多数的青年人一样，王克平经历过上山下乡，当兵，做工的过程，1978年底才开始自学雕刻，在他做出这批木雕的时候，甚至还不知道马蒂斯、康定斯基，也许正是他的非学院的、半路出家的经历，才使他更少束缚，像孤星一样，划过1979年雕塑的天空。

《星星美展》给雕塑带来的重要贡献是：第一，以艺术的方式表达艺术家个人对社会现实问题的批判和干预；第二，强调艺术家自己的语言方式，并在雕塑形式上进行大胆的创造。

一年以后，在第二届星星美展中，王克平的《偶像》、《无题》仍然是关注的重点，包泡的《鸽子》、陈延生的《陨》等也在展览中亮相，比较起来，包泡抽象化的雕塑语言更有专业感觉，形式上比较到位。现在我们无法想像当时这些先行者的压力，我们只有重新置身到那个特定的文化情景中，才能体味出他们的不凡。

1979年雕塑界另外一个重要的现象，是以非前卫的温和姿态出现的革新。其特征是：崇尚人性美、强调形式创造，注重雕塑自身规律，通常表现可爱的，或者看起来凶猛的小动物，喜欢民族、民间的题材和情趣。这类雕塑最典型的是1979年在中国美术馆举行的《小型雕塑展》上的作品。

参加这个展览有刘政德、周国桢、冯河、苏晖、张德蒂、滕文金、夏肖敏等人，他们是艺术院校和雕塑创作单位受过良好专业训练的雕塑家。这个展览的名称都是富于特别意味的，这说明他们开始从过去宏大的、主题性的、战斗性的雕塑模式中摆脱出来，给雕塑注入一种温馨、柔情、优雅和善良的人性光

《猛士》——献给为真理而斗争的人
唐大禧　1979年

《强者》
王克庆　1979年

《对歌》
刘骥林　1980年

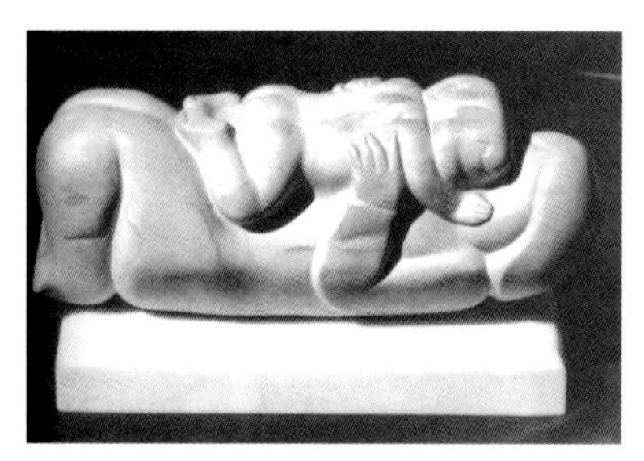

《晚风》
程亚男　1983年

辉，他们在可爱的小动物身上，在一些富于民间、民族风情的情景中，寻找新的雕塑趣味。在语言上，他们更侧重从民族文化中寻找资源，然而，他们受的又是地道的西方式雕塑造型观念的训练，所以他们在形式上的突破不会走得太远，最多只是做一些变形和夸张。这个展览开创出这种唯美主义的雕塑风气影响是巨大的，到今天仍然在延续。

1979年，还有一类与当时的“伤痕文学”相对应的雕塑，我们也很难把它们叫“伤痕雕塑”，它们并没有像绘画那样广泛的表现各种具体的“文革伤痕”，而是集中塑造与“四人帮”斗争的英雄张志新，表现这样一个坚强不屈而又美丽不幸的女子。这些作品有《强者》(王克庆)、《党的好女儿张志新》(孙家彬)、《宁死不屈——张志新》(张秉田)、《为什么》(陈淑光)、《玉碎》(王官乙)、《真理不受辱》(吴纯斌)。这类雕塑的意义在于它们以传统的方式回应了一个有意义的社会问题，表达了雕塑家的历史责任和态度。

二

1979年开启了雕塑发展的各种可能，然后是一个较长的酝酿时期，这个时期我们不妨把它看成是一个强调个人趣味和风格的时期，相对于长时间“法国式”和“苏联式”的标准造型，相对于过去主题性雕塑那种单调的创作模式，这个时期个人风格高扬，具有积极的个性解放的意义。创造“有意味的形式”，是这个时期雕塑家们的基本追求。当然，这个时期看起来丰富的个人趣味和风格仍然限制在几个基本的类型之中，这是因为，在一个大的文化背景中，所谓的个人风格实际上仍然是相当受限制的，即受到这个时期的雕塑家所能接受的各种文化、艺术、社会资源的限制。

这个时期雕塑家在探讨中，最富有活力的推动力量和外部资源是西方现代主义的雕塑。这个时候，有几个雕塑家为我们留下了深刻的印象。

1983年5月9日至12日，在福建省厦门市以内部观摩形式展出的《五人现代艺术作品展览》就出现了焦耀明的金属焊接雕塑和集合雕塑作品；北京的吴少湘也是一个敏感、富于探索性的雕塑家，1980年，他创作了不少显然是属于“现代主义”的雕塑作品。在吴少湘的一批具有抽象意味的作品中，对于“性感”、“神秘感”的强调，就使我们能看出它们与西方现代主义雕塑的联系。

在雕塑观念上，包泡是一个相当超前的艺术家，在1986年，他就提出，“新的雕塑艺术的概念，将逐步产生，雕塑艺术不一定非叫雕塑”；他还提出，要试验过去没有用过的材料，包括“地球上存在的一切物质，从无机物到有机物”；他提出雕塑家要面向社会找饭吃，要最大限度地拓展雕塑家的能力，扩大雕塑家活动的空间，他不仅提出自己的构想，更重要的，他还通过办曲阳环境艺术学校的方式，积极实现自己的主张。

另一个相当活跃的雕塑家田世信在这个时期表现令人关注，他的早期作品《侗女》、《苗女》、《欢乐柱》为中国当代雕塑开启了另一个新方向，即对中国少数民族生存状态的关注，与其他雕塑家不同的是，他始终不是一个风格主义者，也不是为了猎奇，少数民族对于他不只单单作为表现的对象和题材，而是精神世界上的水乳交融，从这个时候起，我们可以说，中国才有了真正意义上的表现少数民族的雕塑，这种创作状态意味着，作者真实的民族身份并不是最重要的，重要的是你如何对待少数民族的生活，如何表现少数民族的生活。如果说，田世信早期的作品，还有一些唯美和装饰成分的话，他后来的《高坡上》、《山路》、《山音》在这个方面有了更深的拓展。

孙家钵与田世信基本是同一时代的人，他的木雕在表现世俗的生活上，达到了相当高的水准。尽管他受到的是严格的西方式的雕塑教育系统的训练，但他的木雕，却把中国的传统美学演绎得淋漓尽致。

何力平在20世纪80年代早期的作品，如《初生牛犊》、《新春乐》等，比较接近“小型雕塑展”的趣味，从中期开始，他的《催命锣》、《生命船》、《鬼怪和尚》、《日暮黄昏》等，显示出巴蜀文化的奇特魅力，奇异、神秘、深不可测。同处西南的余志强，也在进行各种探索，他的《细雨》、《渴望》就是这一时期的成果。

20世纪80年代，中国的前卫艺术运动风起云涌，特别是所谓“八五”运动，达到了一个高峰，这个时候，雕塑并没有像绘画那样，做出普遍性的、积极的回应，除王强、余积勇、黄雅莉、高兟、高强、李群、傅中望等人给我们留下了较深的印象外，从全国范围来看，大部分雕塑家仍然在进行一种美的形式的探讨，其中最有代表性的是在1986年的第六届全国美展上，杨冬白的《饮水的熊》获得了金奖，尽管人们对此可以有不同的看法，但客观地讲，这个奖符合当时的主流趣味和实际的状况，如果说这件作品代表了20世纪80年代中国雕塑的

《无题》
刘焕章　1985年

《对话》
邢胜华　1985年

《完整的片断》
赵柏巍 1985年

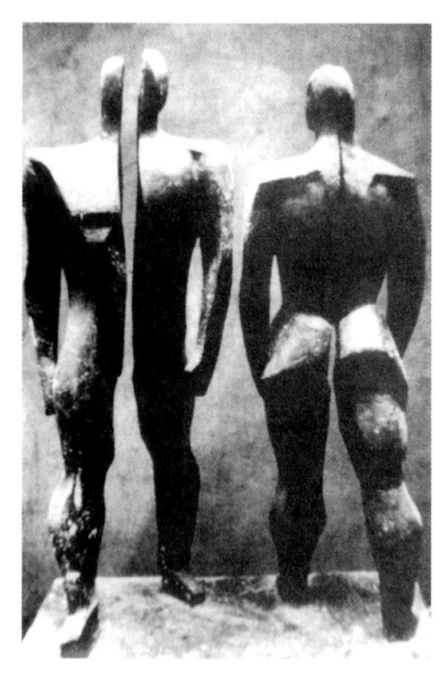

《分裂体》1号
王 强 1985年

基本倾向是不过分的。

三

从1980年末到1990年初，中国雕塑出现了一个重要的变化。如果说，在此之前，雕塑界的各种探索和尝试还有较大的自发性和随机性的话，从这个时候开始，雕塑开始进入一种比较学术的状态。在理论上，开始产生问题意识，理论家、雕塑家开始在文化的层面上思考雕塑的问题，并有意识地针对雕塑的问题选择自己的解决方式；在创作上，一部分雕塑家形成了自己的语言方式，开始出现比较成熟的个人化的符号；一部分雕塑家则超越了形式主义，开始面对个人、社会的问题，进行具有当下性的创作。如果说，中国雕塑1979年以前，一直受到法国模式、苏联模式的影响，1979年以后，又比较集中地受到西方现代主义的影响，那么从这个时候开始，中国雕塑家开始更多地强调自己的独立意识，明确自己的文化身份和中国雕塑的文化地位。

这个转变的标志是一批青年新锐脱颖而出，形成了一个十分丰富的对话平台，《第一届当代青年雕塑家邀请展》应运而生，促使这个广泛的对话在1992年9月得以实现。参加这个展览的雕塑家共有65人，参加研讨会的理论家、雕塑家共有100多人，围绕展览，还出了3期展刊，在中国现代雕塑史上，这样规模的，以青年雕塑家为主体的雕塑展览，还是第一次。

正是通过这个展览，当代的青年雕塑家，明确了自己的定位，形成了各自的创作方向，中国当代雕塑的各种走向和脉络开始清晰起来。

从这个展览开始，中国的青年雕塑家开始成为当代雕塑最活跃的主体力量，几个以学院为中心的青年雕塑家群体开始形成。

浙江雕塑家以中国美术学院为轴心，成为20世纪80年代末和90年代初最为活跃的群体，其中的代表人物有曾成钢、李秀勤、龙翔、杨奇瑞、王强、张克端、刘杰勇、施慧、林钢等。浙江雕塑家有着较好的人文传统资源，他们更强调个人化的探讨，曾成钢的《梁山系列》、李秀勤针对盲人所创作的一批作品、刘杰勇的《站立的人》、施慧的装置式的编织，代表这一时期浙江雕塑家的成果。

北京的雕塑家隋建国、展望、李象群、姜杰、秦璞、于凡、肖力、孙伟、王中、段海康、刘少国、朱尚熹等，在20世纪90年代中期以后，成为雕塑创作最为活跃的力量，相比较而言，他们更有群体意识，以及在当代条件下的策划意识和推广意识。更为重要的是，他们的创作更有当代文化的指向性，隋建国的《衣钵》、展望的《假山石》、于凡表现都市生活的系列作品、王中的《四合院》等是其中的代表。

上海的雕塑家杨剑平、陈研音、宋海冬、蒋铁骊、夏阳等在20世纪90年代后期十分火爆，他们的艺术沙龙活动以及一系列的展示活动与这个城市的文化和活力相呼应。

还有湖北的雕塑家傅中望、项金国、孙绍群、陈育村、史金淞等；广州的雕塑家黎明、杨小桦、唐颂武等、四川的雕塑家余志强、何力平、刘威、孙闯、徐光福、朱成、邓乐、申晓南等；沈阳的雕塑家霍波洋、王洪亮、张烽、屈东群、鲍海宁等。这些不同地区的雕塑家群体，形成了各自不同的特色，呈现出丰富的创作面貌。除了这些比较集中的雕塑家群体外，还有张永见、刘建华、石向东、杨明等一批在国内有影响的青年雕塑家，他们和前面那些雕塑家一样，都是当代中国雕塑家队伍中的中坚力量。

纵观以上这些雕塑家的创作形态，我们可以看出他们在20世纪90年代，对当代中国雕塑问题大致可以分为如下几种不同的回应方式：1. 注重观念的表达，注重中国现实、社会、历史的问题和雕塑家生存状态，强调雕塑作为一种社会文化形态的批判力量；2. 注重雕塑自身问题的解决，广泛吸收古今中外的各种雕塑文化资源，根据雕塑艺术自身的历史上下文关系，建立现时代的雕塑形态和语言方式；3. 侧重于中国民族雕塑文化的复兴，力图在中国古代和民族、民间的雕塑中寻找资源，在此基础上建立具有中国特色的雕塑艺术体系。

在具体的语言方式上，这些雕塑家的作品大致呈现出如下形态：1. 人、人体；2. 动物、植物、器物；3. 抽象的雕塑语言，其中分为几何抽象和有机体抽象；4. 现成品的利用、改造和加工。

在20世纪90年代后期，我们在中国雕塑界看到了一批更为年轻的新人，他们的作品在各种展览中成为人们新的关注焦点，这些雕塑家基本上接受的是20世纪90年代的雕塑教育，他们有：李占洋、焦兴涛、曾岳、向京、瞿广慈、朱智伟、张伟、李鹏程、田喜、王凡、仲松、喻高、王伟等人，由于他们在更为开放的文化背景中接受雕塑教育，所以他们的创作更加放松、表现的方法更具有这一代人所独有的当下性的色彩，他们的作品已经明显地与20世纪80年代培养出来的那代人拉开了距离，现在这批人的活力正在逐步显现，并越来越在当今的雕塑格局中发挥他们的作用，这种局面的形成使我们对中国当代雕塑的后续发展充满信心。

《86静穆系列(之一)》
黄雅莉　1986年

目录

中国当代美术图鉴
1979-1999
雕塑分册

序号	作者	作品
72	姜 杰	《平行男女》
73	秦 璞	《流韵》
74	孙 平	《CD》
75	萧 立	《嬉夜》
76	陈云岗	《东方祭》
77	张永见	《新文物——结晶》
78	姜 杰	《魔针·魔花》
79	高 蒙	《车站》
80	霍波洋	《成长No.1》
81	霍波洋	《肖像》
82	霍波洋	《展示No.5》
83	于 凡	《潜行》
84	王 中	《再造天性》
85	王 中	《生命？》
86	王 伟	《车马》
87	王洪亮	《新石器——打击系列(之四)》
88	王洪亮	《新石器——打击系列(之九)》
89	吕品昌	《混沌的失却》
90	朱尚熹	《阳光下的梦》
91	朱尚熹	《大塔楼》
92	向 京	《空房间》
93	刘少国	《梦中家园》
94	李燕蓉	《花季》
95	李燕蓉	《朝霞》
96	杨春临	《无题》
97	陆 斌	《砖木结构》
98	余志强	《线的延伸系列(之二)》
99	张 伟	《群岛》
100	段海康	《翻开的书本》
101	段海康	《梦魇》
102	施 慧	《框》
103	高 蒙	《烟》
104	隋建国	《衣钵》
105	曾 岳	《梦·投影》
106	曾 岳	《婚房》
107	于 凡	《银鬃马》
108	王 芃	《小女人》
109	邓 乐	《道》
110	田 喜	《复制生命(之一)》
111	田 喜	《复制生命(之二)》
112	包 泡	《癌变》
113	吕品昌	《阿福No.16》
114	向 京	《呵欠之后》
115	刘 威	《中国20世纪的沉淀物》
116	刘少国	《圣洁的莲花》
117	刘建华	《迷恋的记忆》
118	许正龙	《叉子——变异的手》
119	许正龙	《眼镜——我们的世界》
120	孙 伟	《洞-1》
121	李 亮	《重见森林》
122	李 亮	《兵器》
123	李占洋	《街景一》
124	李占洋	《街景二》
125	李鹏程	《横竖横》
126	陈云岗	《摆动的风景——东方祭系列(之一)》
127	陈研音	《一念之间的差异》
128	陆 斌	《活字系列》
129	张 伟	《海》
130	高 兟 高 强	《预言》
131	唐颂武	《种植车间(之一)》
132	唐颂武	《种植车间(之二)》
133	隋建国	《中国制造》
134	梁 硕	《城市农民(之一)》
135	梁 硕	《城市农民(之二)》
136	琴 嘎	《接触》
137	琴 嘎	《红色喷泉》
138	靳 勒	《鱼》
139	靳 勒	《鼠》
140	喻 高	《悬浮体》
141	傅中望	《地门》
142	魏 华	《生长状态》
143	瞿广慈	《莎乐美》

中国当代美术图鉴1979—1999雕塑分册

从某种意义上讲，这本雕塑图鉴是这个特殊时段的雕塑历史文献
在作品的选编过程中，一方面强调时间性
同时更注重在这个时期内中国雕塑如何从传统形态到现代形态的变化过程
进而实现在这个过程中有影响的雕塑家和有意义的作品

《沉默》是王克平最早期的作品，创作于1978年底与1979年初，展出于北京《星星美展》，引起甚多反响。王克平的早期作品有较强的批判性，反映了当时青年人的反抗意识。在艺术风格上，他既有汉唐的精神，又有现代艺术的观念。他的木雕出于自然，又打破自然，在似与不似之间，似有似无，无中生有，别具一格。（小　林）

《偶像》是王克平最早期的作品，创作于1978年底与1979年初，展出于北京《星星美展》，也曾引起强烈反响。

（小　林）

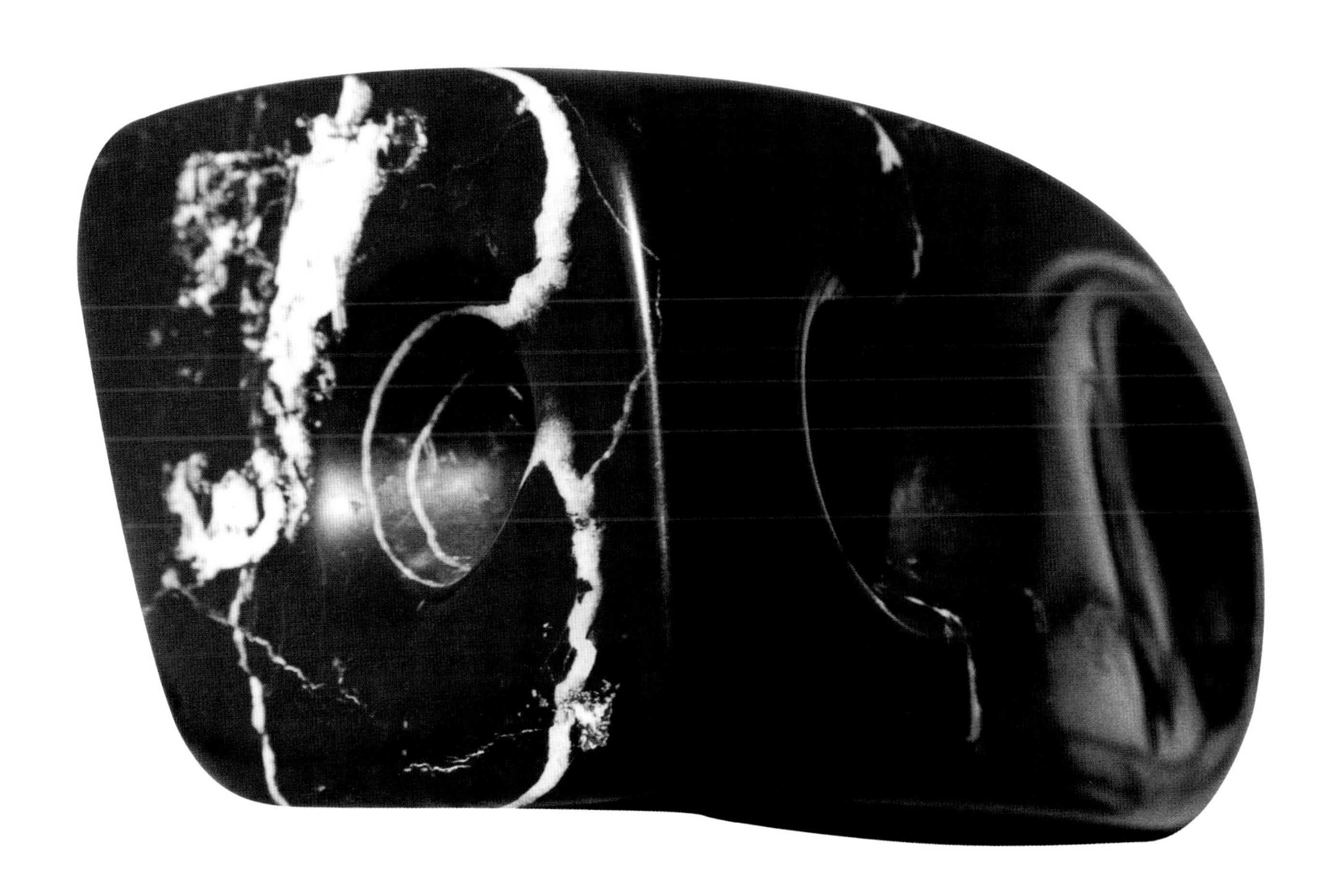

我在这期间创作的同类作品有近百件。我喜欢直接处理材料并在各种形态不同的石块上寻求某种精神状态。稍加处理而顺其自然完成。

黑洞如同人的眼睛，房屋的窗也是黑洞，你看不到里面，但它却永远注视着你的行为，你的灵魂。那个黑洞对你而言，又永远不可知，永远是个谜，但又对你有无穷的吸引力。

在医院里挂号后排队就诊，排号单不断被穿入插签座，因此先后关系被严格地确认，这是个简单而又科学的确认方法。伍时雄在医院里等候着被确认之际，脑子里不断浮动着这种被滥用的排序方式，1980年的中国社会刚刚步出“文革”的桎梏，上下级关系，师生关系，人才与职称关系等等均没有突破这种插签式的确认方式，“青出于蓝而胜于蓝”仅是一种古训贤言。综合材料作品《青与蓝》面对严峻的现实，用批判性的艺术转移语境表达了伍时雄对现实的关注。

（孔　雁）

欢乐柱　　木 160×32×32cm 1982年　　田世信

1989年以前，我在贵州工作生活了25年，在那段日子里，我与那些朴实憨厚的山民朝夕相处，对他们那种天性的了解与爱至今都不能从我的脑子里淡漠下去。到目前为止，凡遇到没有什么新鲜事让我激动的时候；凡做雕塑的“瘾”又涌上来的时候，山民们的影子和他们那种可爱的劲儿就会涌上心头。当初我就是被这股劲儿触动的。

《欢乐柱》是我较早的木雕作品，主要运用了大量的装饰手法，用线刻替代雕塑的塑造，因为受木材柱形的局限，所以，只有将要塑造的造型内容尽量简化，为了不破坏有些地方或部位，就采用挤压——浮雕处理方式。

我很喜欢蒙克的表现主义绘画，我这一类的雕塑(主题)似乎都是在那个情绪中创造出来的。

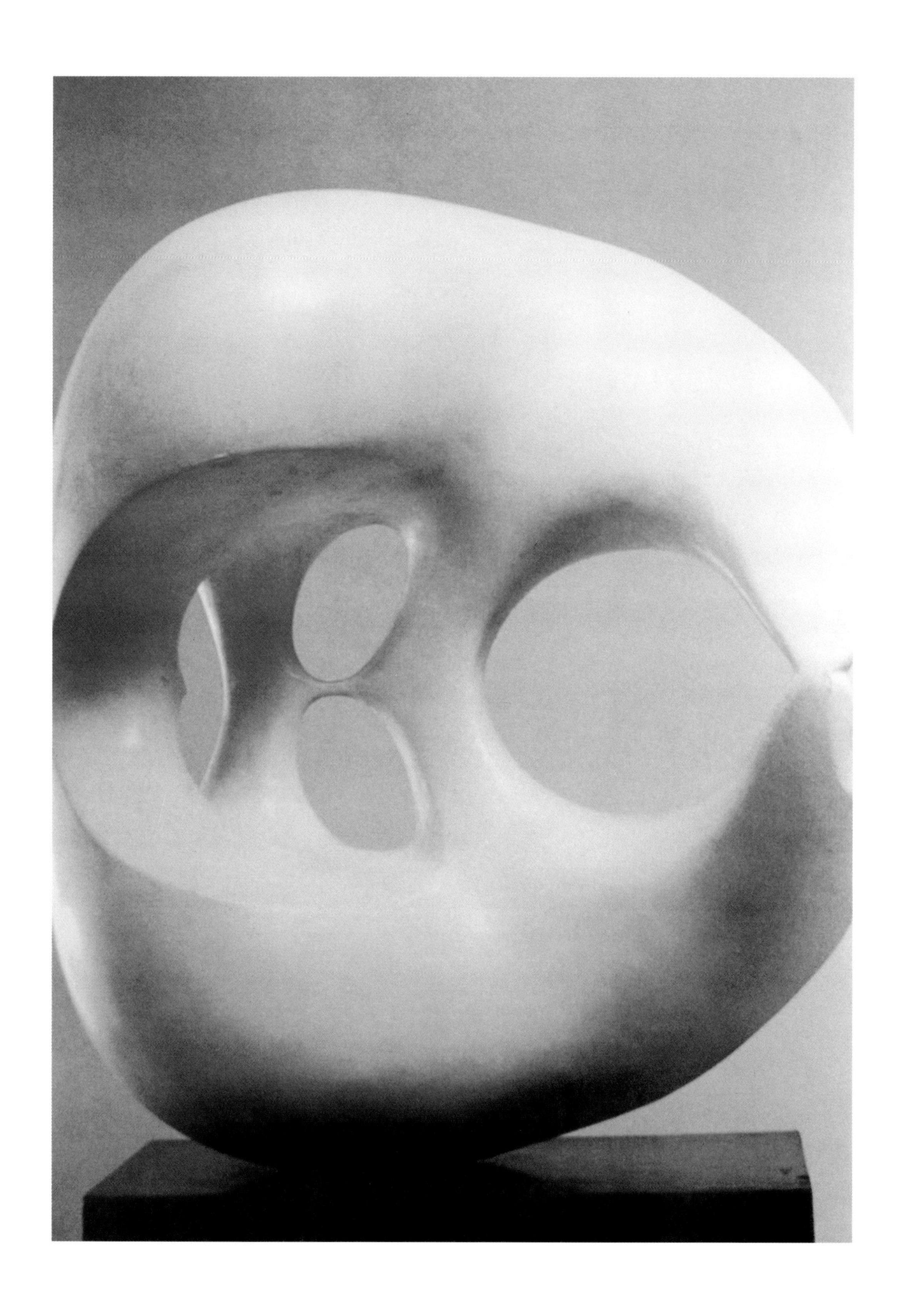

这是一件抒情化的作品，借助熊与自身的倒影这一相互关连的虚与实的景象，作者力图把熊的形体予以最大限度的简洁化。在与倒影合成之后，构成了一个抽象意味的造型形式，作品创作于艺术的封闭年代，在各种困惑之中探求造型主体本身的观赏价值与存在感，使之成为超越现实、并且有自身存在价值的作品。

西藏姑娘　玻璃钢　80×32×30cm　1984年　秦　璞

作品着重刻画了西藏姑娘那纯朴圣洁之美。那微微企盼、腼腆的表情，宽大厚重的衣袍，令人产生无限联想。

在创作手法上，运用了团块饱满的雕塑语言。在形式感上吸收了中国古代的雕刻及装饰手法，追求一种原始、古朴之感。

天地间　钢、水泥　110×50×50cm　1984年　　黎　明

如果说作品上部的吊钩是天，下部的巨石是地，那么处在当中的就是我们——人。“天·地·人”三者的关系自古以来就是纠缠不清的哲学命题。天地之间的人类为之苦苦求索：无知？求解？顺应？改造？惩罚？……走进走出一个又一个的怪圈。本作品就某一环节提出问题。

当生命力尤其是性的压抑，成为一种社会的普遍现象时，它便从盲目和非社会化的生理压抑，转化为一种社会性的精神压抑，所以，个人在占有自己合理的价值过程中，也获得了抗拒异化的力量。从这个角度说，表现性意识本身，就具有了审美价值和文化价值。吴少湘的作品，在这方面表现出极大的勇气和追求。

吴少湘的作品注意造型艺术自己特殊的语言形式与趣味，他认为作品首先是造型、色彩在视觉上的强刺激，所谓思想是寓于其中的，作品自身的造型与想法虽是静态的，但须有趣，这种趣味可以是令人幽默的一笑，也可以是令人作呕而发笑。因此，他喜欢用一些生理器官作为造型媒介进行组合，以便产生怪诞、新鲜的造型，并糅入诸如性的意识。

吴少湘作品的语言特色，首先在于把敏感的触觉感受作为一种视觉造型，即强调乳突造型的尖端接触时，所给人的刹那间的刺激。

1985年左右的作品如《呼唤系列》，由于作品：①带有较明显的生理器官特征；②强调造型的力度和体量；③采用铸铜材料。因此使这时期作品显示出一种亢奋的、并带有英雄主义的色彩。（栗宪庭）

老聃说："天下万物生于有，有生于无。"把这思想还给老子，则是形具则神灭，神存则形在。通过手、眼与物体的接触，体验材质的不同，形的变化，在这种体验中注入观念，并最终把自身磨砺成艺术的人。

针对当时的主导风格——苏派艺术：注重情节性、文学性，作者尝试使雕塑回归自身的形式语言，追求一种可视、可感的、传达某种意境的艺术。

作品选取冬季草原牧民放牧的生活形象，选取生活中常态的形象、动态、排除偶然性，使形象唤发出形式的表现力——一种垂直、水平的关系，一种平远、宁静、冷的感觉。通过人物表现风景再表现人。

敏锐地把握世界艺术的新趋向，进而用最新的艺术成就和艺术思路来丰富自己，这就是雕塑家傅中望在1985—1986年，入痴入迷地研究西方结构主义雕塑的内在原因。正如雕塑家本人多次强调的一样，对这方面的研究最终导致他彻底抛弃了传统的雕塑观念。自此以后，他更为关注的是两种或两种以上材料的组合与焊接，而不是如何去雕塑一件具有明显内聚力的坚强实体。客观地看，反映他这一阶段学术成果的应是在“湖北青年美术节”上展出的作品《天地间》，以及稍后推出的《金属焊接系列》。在这些作品中，画家借用西方结构主义雕塑的构成手法，不仅较好体现了自己对“工业文明”的深刻反思，也较好体现了中国传统文化对宇宙自然的认识。因而受到学术界的广泛好评。

《天地间》是傅中望过渡时期的作品，对他后来创作《榫卯系列》，具有重大的启示作用。（鲁 虹）

木雕《山风》运用的是纯雕塑语言，手脚及躯干痉挛和紧张的动态，是为将憋在全身的“气”一股脑儿从张大的嘴里喷泻出来。

吴少湘1986年转入木雕的创作，作品着力于嘲讽，尽管这时期作品在造型上逐渐摆脱了生理器官的特征，增强了晦涩性，但由于：①较多使用了尖凸造型。②色彩的运用。③造型与造型间的接触处理。作品反而更趋活跃、冲动和敏感。同时，又因作品的非习常造型给人造成视觉阻碍，造成某种神秘气氛，以增加欣赏的弹性。作者认为作品可以不让人一下看懂，只希望给人一个强烈的印象，以及一些莫名其妙的神秘感。(栗宪庭)

1986年夏天，我发现了这只箱子。因1989年《中国前卫艺术展》做过匣子，那一时期就对被包裹、被压抑的感受较敏感。

在塑料厂利用塑料的可塑性做些人物时，这件抽象的形态引起了我的震动。放在这红匣子里，竟激动得一夜没睡着。

它太像我当年的心态了。

对新材料的随机性利用，使艺术感受跟随其后，又激发出真切的回忆。这可比愁眉苦脸地挤出思想，塞进意义舒服多了！从此，我就做了大批类似材料的作品。

“雕塑应该是从山顶上滚下来完整无损的。”米开朗基罗对雕塑的定义，清晰的揭示了传统雕塑的本质。在本科学习中，我对雕塑、体积与空间的认识是：雕塑是在实体的泥巴上，寻找形体的空间位置，雕塑首先是实实在在的体积。没有体积就没有空间。

1982年毕业后，我想换一个角度来思考雕塑。1985-1986年的文化反思思潮对艺术也产生了重要影响。1986年我开始下厂寻找创作材料，并且创作了一批金属焊接雕塑。金属焊接雕塑的创作方式，是以无限的开放性的空间作为思考的基点，是对传统雕塑的反叛和革命。

《寻找空间》是我在1986-1987年创作的一批金属焊接雕塑中的一件，它的意义所指有两点：首先是对当时文化的反思与对现存状态的一种关注，另外是对雕塑本身以“空间”为切入点的思考。

日暮黄昏　木　65×40×26cm　1988年　何力平

《日暮黄昏》雕塑的是一头怪兽，背负着老屋、枯井，在夕阳残照的群山之中孤独前行，执着地朝着终点走去。这是一种盲目的执着，一种生命的不由自主。它也许是古老文明的沉没，也许是走向新生。雕塑造型沉重、完整，圆雕和浮雕相结合，来自于民间与古代的中国雕塑。融会着错位、断裂等现代语汇，使古典语言焕然一新；它是现代人对传统、对历史的体验和重新审视。

榫卯结构系列——栅栏　　木　47×115×20cm　1989年　　傅中望

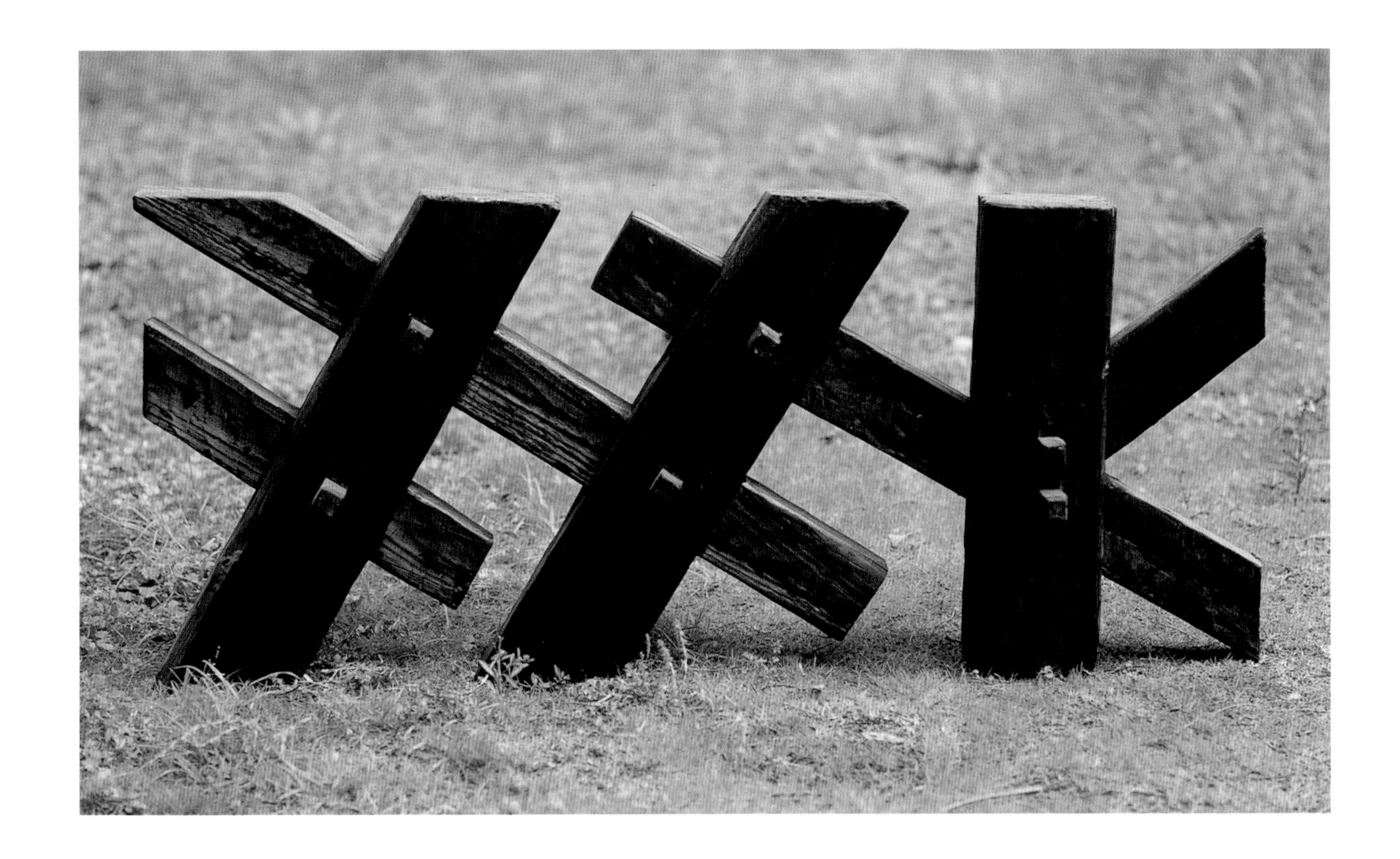

榫卯结构是中国传统建筑及其他器物的基本结构，确切地讲是木材特性所导致的一种结点技术，这种技术从古至今存在于我们的生活之中。当我将榫卯结构从一个幽远而深厚的历史背景中剥离出来，超越其实用形式的表层诱惑，潜沉到木质结构的原始起点时，我发现：一个存在于技术与艺术，结构与雕塑，传统与现代之间的临界点。

几年来，我在自己的工作室，一而再，再而三地在榫卯之间，凸凹之间寻求种种可能，这使我对榫卯技术，对榫卯携带出的文化含义有一种理解，并引发了许多的艺术问题，从而进入一种本能的追问和自觉的表达。

我想，榫卯艺术的意义不在于是否继承传统，也不在于能否区别于西方文化的物质构造方法，而在于自身与这种方法在当代文化情境中获得了某种对应关系，以致成为自己内心真实和个人经验的符号。

榫卯在我的作品里不仅是一种语言符号，而且是观念形态，榫卯的构合、分离、楔接、插入，引发了我对生命意义和生存关系的思考。不同的榫卯结构是不同关系的确立，凸凹关系、阴阳关系、异性关系、社会关系、生态关系，在我的作品中都是榫卯关系。

战上的头颅　木 70×45×32cm 1990年

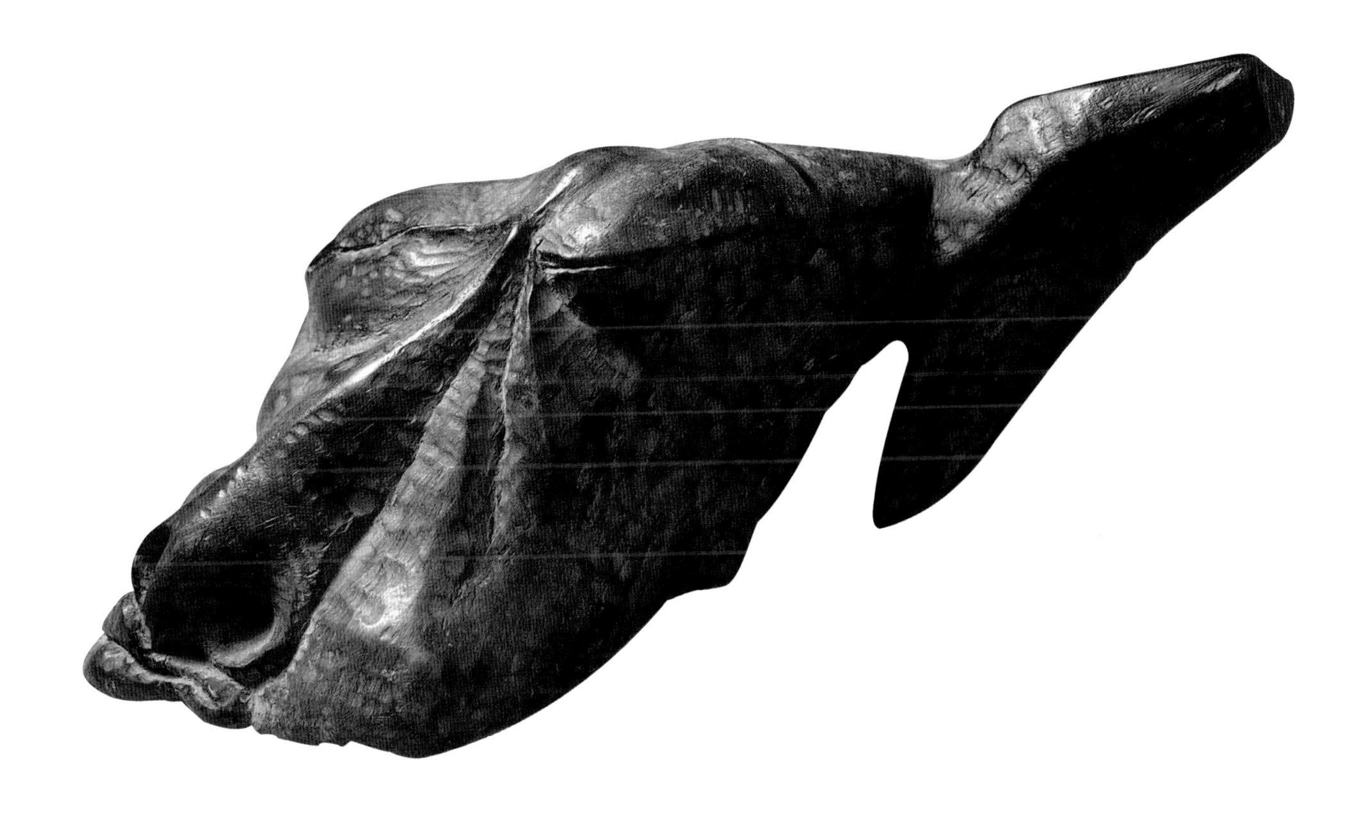

少诚的艺术是自我抵抗，自我镇压，自我救亡的艺术。因此"给它戴以何种桂冠都不足以改变它普通善意的初衷……给它以何种攻击，都不足以动摇它独立存在的本性……它对于唾弃与鄙视发出朗朗的欢笑声，因为它拥有无尽的时光可以期待世俗的拥抱与友爱"。(少诚给友人的信)因此，少诚的艺术取材基本源于他的梦境或梦境的改造，而他的艺术之独特生动，张力之大，撞击力之强，无人之能比，也正在于此。因此少诚很少评论自己的作品，炫耀更谈不上。不是不想，而是不敢。望着自己的得意之作，至多也只是神秘地嘿嘿一笑。在这里老实和本分的基本德性帮了他的忙，正常的恐惧也帮了他的忙，不然，他将因"贪天功为己有"而受到另一面来的恐惧和惩罚。在他给友人的那封信中，有这样几句话，正是他模模糊糊意识到的东西："它恐惧于什么呢？我想它大概最恐惧是它自己对于它自己的运用，对于它自己的亵渎与欺骗吧……"(陈志伟)

疲惫的人　木　55×55×55cm　1990年　甘少诚

生命是宇宙无与伦比的艺术精品，它用生来构成，用死来制约。生命是一切艺术的范本，一切艺术都是对生命的模仿，模仿生命对死亡的反抗，生命正是通过对死的反抗来获得自身的意义。而在所有艺术中，性的艺术应该是最纯粹、最本质的艺术。因为它最直接最真实地撞击死亡。在少诚的生命中，这诸如此类的梦境在千百次地预演着死亡。少诚没有办法逃避和消除这恐惧，但是他可以尽量减轻它。他把这梦境用形式固定下来，并使之清晰化，恐惧就有所减轻。而作品的体积越庞大、越笨重、越狰狞，他在心理上就越感到安全，从而也就越放松、越正常、越渴望安宁、越不愿接触人。沿着少诚多年艺术创作及作品的发展轨迹来看，这判断当不该有太大偏差。少诚嘴上常挂着这样狠歹歹的话："操，我他妈就得活，我他妈就得活得特棒！"别人以为这话是他说给不得意的困窘生活听的，也许他自己也相信是这样的。其实他这话是不自觉地说给他自己听的，说给他自己身体里那个准备吞噬他的"大婴儿"听的。（陈志伟）

作品132　铜　52×40×38cm　1990年

朱祖德的雕塑是现代主义的。就如苏姗·格朗说的："在艺术中，形式之被抽象仅仅是为了显而易见，形式之摆脱通常功用也仅仅是为获取新的功用——充当符号，以表达人类情感。"这样，理解朱祖德尤其纯粹的雕塑就有钥匙了。一旦如此，他的作品脱离了摹写和实用，突出了形式的视觉体量。他的雕塑明显受到冷抽象的影响：体感单纯，注重几何构成，同时又在质理和线条上强调变化，比例均衡，做工精细。而当他在整体上取得视觉形式时，又能在细节上充分与整体对比，达到和谐。这些细节则显出一种直觉的、非理性的、情绪的状态，可视为他心理层次的显现。这就是他的雕塑把本质当做构成因素，形式倾向于象征，进而是一种生命的意象的内在原因。总之，朱祖德的雕塑是主体的投射。他把他的具体生存状况浓缩成形式，或者说放大成形式也未尝不可——这就是他的雕塑内涵。(邹昆凌)

1992年杭州举办的《中国当代青年雕塑家邀请展》上展出了伍时雄的两件作品，据当时艺术主持人孙振华说，其中这件名为《一加一》的木雕在审稿开始就争议较大，有人反对展出，理由是性意识过于明显，惟恐产生负面影响，然而这件作品最终还是通过了终审。这一过程说明当时普遍的社会意识与现代艺术语境的转换之间仍存在着相当的差异，同时也显示出《中国当代青年雕塑家邀请展》的艺术前瞻性。（孔　雁）

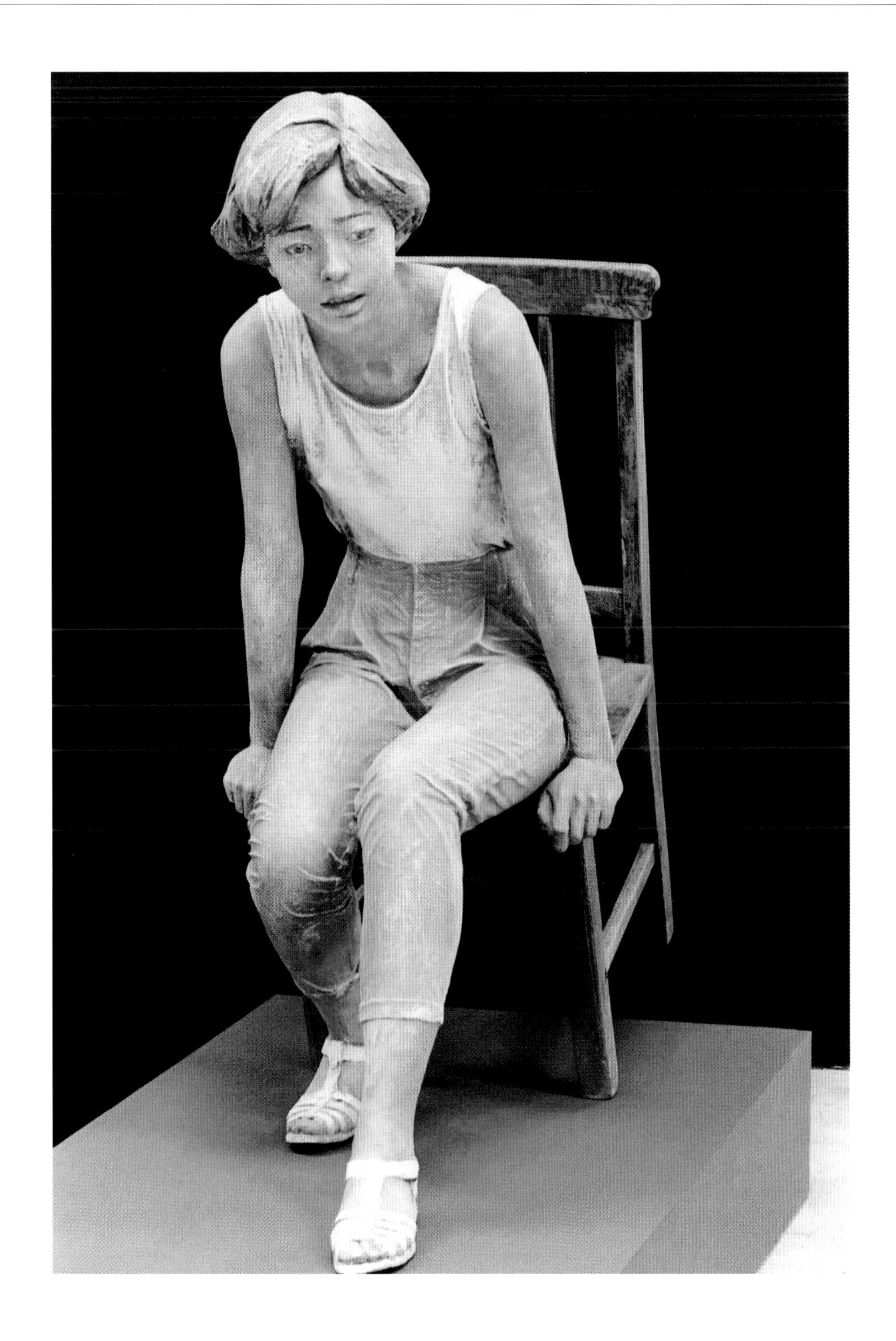

这件作品创作于1989年之后，是作者早期的代表作。展望这一时期的作品基本上以生活中的各种人物为载体，表现的是作者内心中困惑、犹疑的心理。《坐着的女孩？》原本是展示一个经历初潮的女孩惊讶、萌动、还有些恐惧的神态，加上一把真实的，只有两条腿着地的椅子之后，作品就更多的增加了一种犹疑、不确定的因素。就像大人们经常思考生与死的问题一样，这个女孩似乎在思考站起来还是坐下去的问题。但这样一个瞬间的动作，却是用类似超写实的手法来完成的。

形成超写实的表现手法要追溯到作者的最初动机，在20世纪80年代末，中国的艺术界盛行"崇高"或"大灵魂"，而追求平民化的新现实主义倾向也悄然兴起，这种平民化的趣味和非表现手法便于使艺术家重新寻找自我定位。或许只有把自己放到零的起点，才能找到自己真实的一面。于是，在背景完全不同的情况下，形式上却出现了很接近80年代流行于美国的超写实主义雕塑和绘画的趋向。但这些艺术家每个人的创作却很不相同，展望的不同之处在于以《坐着的女孩？》为代表的系列作品中非常强调主观、概念的因素，而这个因素——一种以观念为主的表现方式，直接影响和导致了作者以后的创作。这个系列的其他作品还包括《人行道》、《失重的女人》、《穿中山装的男人》等。

亚细亚的崛起　不锈钢　100×80×30cm　1990年　　黎　明

奥林匹克的精神原则绝没有囿于单一的运动竞争，而是与文化艺术联结成一个整体。在专门为十一届亚运会而举办的中国体育美术作品展览上，我们看到了这种奥林匹克精神的闪光，它表明了第十一届亚运会是一次真正的庆典：人类体能、技巧与精神之域的成功展示。这种整体感与联结感恰好是我第一眼看到青年雕塑家黎明的《亚细亚的崛起》(获特等奖，送往瑞士洛桑国际奥委会总部永久收藏)时的强烈感受。

《亚细亚的崛起》的构思意念表明了青年雕塑家已经具有了对人类文明的宏大而精微的感受，因而他的这个构思源于体育，高于体育，为一般囿于某种体育项目或胡乱以团块或线条“表现”体育者所望尘莫及。

1988年5月5日，中国、日本、尼泊尔三国运动员同时从南北峰登上珠峰顶端，那一天前所未有地有人类中的12个成员在那顶端栖留了99分钟，因此那一天是人类历史上并不太多的人类显示自己的骄傲的一天。黎明逮住了这一天，这一天是一个亚洲崛起的黎明。构思意念上的突破决定了这件作品在价值深度和表现广度上的不同凡响。亚洲的崛起是20世纪人类历史的重大进程，《亚细亚的崛起》就是有关这一进程的纪念碑式作品。

三个人像分别代表中(中间者)、日、尼泊尔三国运动员。选取的是他们登顶后振臂欢呼的一瞬间。整个造型形成一堵铜墙铁壁般的屏障。人的振臂外轮廓与人的双腿之间的空洞均突出一个“山”字的意念。以登山服的特有外观所造成了雄强、粗壮，更由于头部的有意缩小而获得更撼人的艺术效果。远观其势，三个人如山峰般屹立，气势沛然。

在局部处理上，作者表现出对雕塑语言的深湛理解和灵活运用。在整件作品中，登山服占最大部分。作者因势利导，有意夸张了以登山服包裹着的人体躯干的体积感和量感。三件登山服原来是统一制作、式样划一的，但作者却处理为略有变化，打破了单一的呆板之感。尤为出色的处理手法是在登山服上镌刻有中英文的新华社播发的关于这次壮举的新闻电讯，突出了新闻纪实的气氛，同时更强化了纪念碑式的创作意念。这一处理是使这件作品突破体育运动的某种瞬间的局限的重要因素。在登山服表面还融合了各种手法，如阴刻、浮雕等技巧，以表现登山绳、防护带、保护钩、手套、反射镜、照相机等道具，真实而不琐碎，有力地烘托出专业的特色。登山服上的文章还做到了背面，背面的中间部分缝成了平板状，分别由三国的国旗连成一片，使前后呼应，更符合圆雕四面观看的欣赏要求。由于作者选用了钢板的质材。在质感上具有光滑、闪亮、坚固的特点。然而在一些衣纹凹凸处、人体之间的接合处、阴刻凹槽的底部与平面的转折处等又制造了粗犷、焊缝等效果，使之形成丰富的质感对比和一种强悍之气。

朱祖德一直是以一种中国文人的清高心境从事艺术创作的，他的意念一直离不开老庄哲理。他憧憬着一种彻底的清寂之境。这种倾向在1990年到1991年的作品中十分强烈，这也是他选用某些极减形式的原因。（吴少湘）

在当下艺术情境中，如何小心翼翼地避开各种时髦话题，与潮流时尚保持距离，并从纯粹个人的视角和心理经验出发，揭示在常规俗见遮蔽下人的某种真实的生命存在状态，已成为部分艺术家创作的潜在准则。

杨剑平近几年来展示给我们的一系列女人体雕塑，无疑是体现这一创作倾向的优秀之作。

游离于当代大众文化图像资源之外，在古典主义形式和前卫精神意识之间频频结媒，对于完美形式的迷恋，使杨剑平的作品透露出浓郁的古典情结，对人存在本质的关注和敏感把握，则使他的作品弥散着现代城市生活含混多元、复杂歧义的暧昧情绪。并且，杨剑平将女性人体有意识地进行冷处理，最终使作品超越了古典以及其他既定审美经验范围，上升到围绕关于女人，进而关于人在现存生活中的普遍性真实存在状况的思考和探索了。这也就使得杨剑平的女人体雕塑，获得了当代的文化意义和独立艺术价值。

从这一层面来理解杨剑平作品提供给我们的那种难于清晰解释的“暧昧”态度，或设想这是杨剑平故意设置的阻止我们真正进入的障碍，恐怕也就释然了。(江　梅)

仇娃参军　铜　150×150cm　1991年　杨奇瑞

20世纪80年代末至20世纪90年代初，中国的美术环境仍是西风强劲，而在对中国传统艺术的借鉴上，多是在对图式的截取和简单演绎的层面上，总之在那个时代，潮流感很强。我自己试图通过对两方面的认识，寻找一个新的视点，于是创作了《仇娃参军》。《仇娃参军》这一作品在造型风格上吸收了秦汉陶俑之特点，构图上选择了佛教"一佛二弟子"固有定式的空间处理，既有中国内聚式空间概念，又注重西方虚空间效应的营造，可以说整个作品就是自己对中西雕塑艺术学术研究的心得。人们从这件作品看到的应该是中华之博大、中华历史之悠久。总之应该是一种中国精神。

黄泉路　木　32 × 56 × 24cm　1991年　何力平

《黄泉路》好像一条笨拙的滑道。人们一旦上了这条通道就像喝了迷魂汤一样，麻木不仁。生命消逝在转眼之间。黄泉路是鬼城的一段故事，描述的是一条走向死亡之路，它是重要的民间隐语。生命的无奈、滑稽、盲目，宗教般对人类罪恶的惩罚，从死亡走向新的生命等都在其中。雕塑运用大刀阔斧、铿锵有力的打凿，是想在沉重与窒息的空气中渗进强力和生命，加强作品的冲突和对抗，在叙事的“长歌”中融入隆隆的鼓点——世界将生生不息。

沁园春——毛泽东1945　石膏　192cm　1991年　梁晨明

领袖是人，不是神，作为新时代的艺术家，应站在历史文化的角度上，探索领袖人物和历史人物的崇高精神境界，并力求寻找切合作为平凡的人的造型语言特征，还领袖及历史人物真实、自然的面目。我认为这将更符合时代进步的人文精神。

曾成钢的灵感来源是中国商周青铜器，他的硕士学位论文《我与青铜器》对此作了详细的论述。如果按西方雕塑观念来看，商周青铜器还不能算是严格意义上的雕塑，但它的精神和内涵，反倒使它比一般合乎规范的雕塑更像雕塑。商周青铜器的精神和具有的特殊震撼力的造型语言，体现了中国雕塑在早期的重要成就。

《水浒人物系列》仍保留了这种洋溢着古老东方气息的青铜味，但在造型上则更加含蓄、圆通，因而更有气势。显然这是对前一个系列总结、思考的结果，尽管从青铜艺术上的直接借鉴的成分少了，但给人联想的余地却增加了。如造型中，人物动与静的把握和处理，虚与实的处理，繁与简的处理都更加成熟。刚直的线条与弧、圆线条的对比，使得动势更为强烈，空洞以及凹凸在造型上的穿插运用使得人物既厚实、凝重又有飘逸、灵动的感觉。

铸铜 黑旋风李逵 62 × 32 × 93cm 1991年

花蛋系列 木（100×88×80cm）×8 1991-1993年 魏 华

花蛋是面对人体从写实到变形演化而来的。从最初的写实形态到抽象形体的转化，既使我得到了一种自由表达，也使我能从单纯的形态表现某种情绪或精神。从人体到“花”似乎很自然的成为自己的形式“符号”。之所以称之为花蛋，只因蛋是“平静”的，是大生命、大智慧，而“花”则表达自己生命的冲动，是对压抑的化解。

中国针灸　石膏、针灸针、丙烯　高115cm　1992年　孙 平

20世纪90年代初，中国现代艺术在获得向传统开战的策略和利器的同时，丧失了自己的言论形态，文化失落感成为新的问题。为了解围，《中国针灸》选择了西方文化的象征物，施以东方式的魔术——针灸的所谓重组，是企图在艺术形式和学术立意上取得一把两面修理的双刃剑。艺术是个什么东西，在此获得了一个简单的解释——批判、创新，其实又说不清楚。艺术在冠冕堂皇的殿堂后面行的是操作、机遇和需要之道。不明白这一点艺术就神秘而有趣了，针灸之道不知是否亦如此？

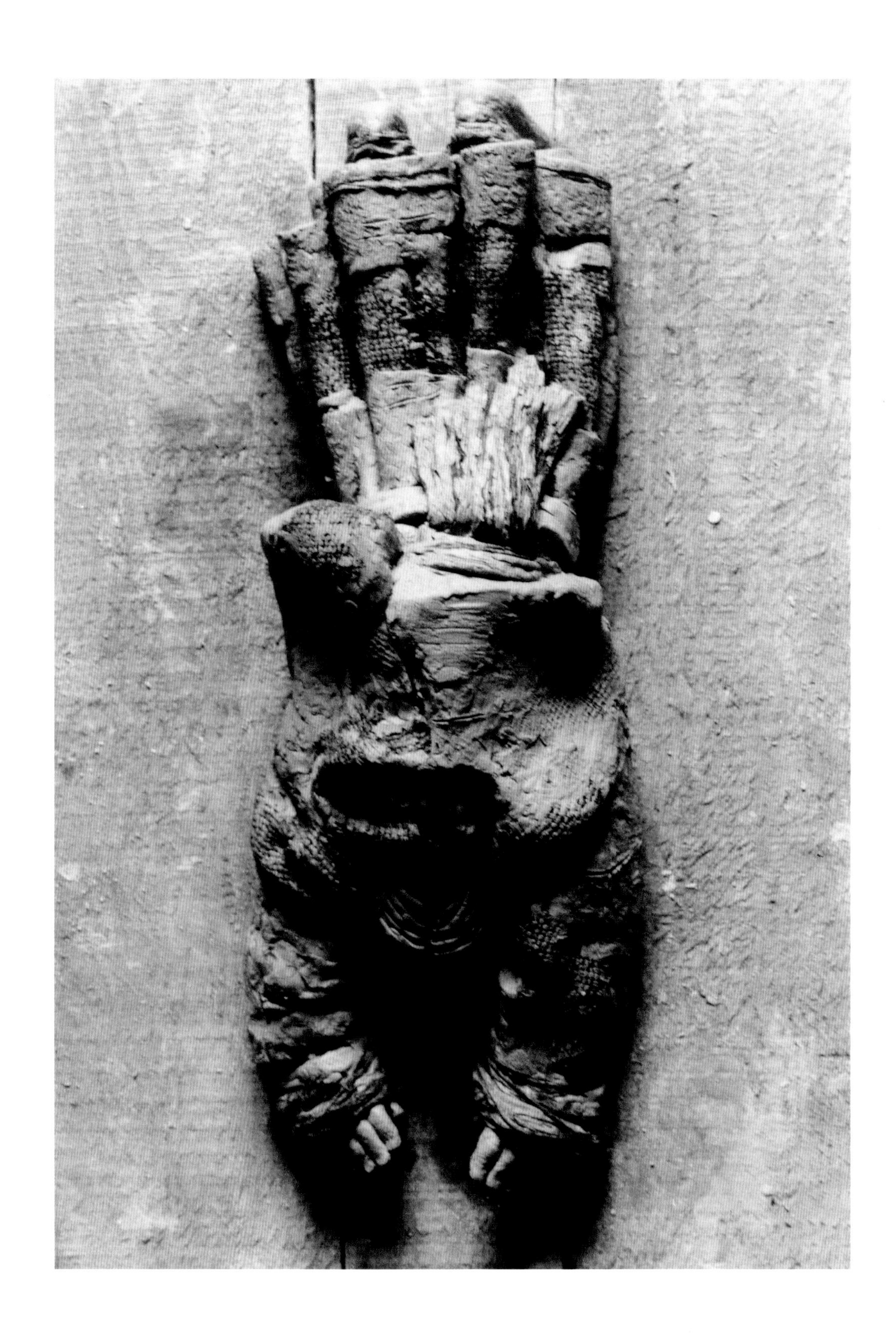

我不是泛神论者，但却是“神性”的相信者。因为，在中国雕塑艺术家李象群先生的一系列作品中，我看到了他神性（即无私无畏的追求博爱、平等、美好、正直、自由的理想天国）的所在。

文如其人，这是中国的一句老话。雕塑艺术家李象群先生在其自己营造与构建的作品中已印证的事实，都说明着他的作品，均是对人类、对人生、对人性思考后，用雕塑语言来阐释内心精神世界的个性独白。（丁正耕）

辕门　木 250×250cm 1992年　杨奇瑞

1992年创作的作品《辕门》，采用的是中堂式构图。这一传统的构图定式，很能表现神圣，肃穆而威严的主题，反映了东方民族的审美特点与文化观念 。在作品的造型上受了中国文物的启示，三足器是古代文物中一种常见的器类，给人以沉稳的视觉感受。以鼎为例，它又是古代王权至尊的象征。受此启发，创作出了尖“足”、方“胸”、圆“顶”的将帅，并以此将帅楷模做成四件小比例的“士兵”，以“将帅”为中心将它们布成阵势，形成一种空间场。当然一件作品的某些元素给观者的欣赏导向可能是多层次的，《辕门》将士“顶”或可视为皇帝的华盖，“胸”也可看成是一种等级、规矩，“辕门”既可是古代的兵营，也可代表中国传统的文化观念，这文化对于现代来说既是引以为豪的光荣，也是沉重的包袱，总之反映的是复杂深刻的中国精神，从而引发人们思考。

存在　木 120×80×60cm 1992年　萧 立

这个人跪下了，而且还是一个男人。好在他还没有趴下，不能站立，也没有倒。压力不小，但也不是巨大；或者压力本已巨大，只因他的固执，坚持着一半，再不肯放平自己，垂直地面的双脚，耿直的脖子，笔直的胳膊。就这样支持着自己，面对着，沉思着，也许还有幻想着。直立的人都在幻想，跪着的人没有幻想吗？膝盖落地，痛苦传遍全身，心痛，头痛，幻想便由此产生。巨石坠潭，水花灿烂，万物相连，人心共勉。愉快的心漂浮在无边的海上，时间长久了就会感到疲乏。因为海水是咸的，苦的，它的表情是多变的。这个跪着的男人，他的“前生”是几棵树木；头、躯干“转世”于两棵苹果树死后的“骨骼”；手臂“转世”于两段柏树的“小臂”或“手指”；两节红松的“骨骼”先“转世”成两段不知何用的木方，之后才“转世”成他的小腿；两只脚的“前世”也是柏树的“骨骼”。他的“前身”都来源于树木，树木离不开水，但又大多不愿沉入水底，因为它们喜欢有光的地方。也许这个跪着的男人心里正想着这些事情。

"地罣"的制作足足用了两年时间（1992 - 1994年），岩石与钢筋硬碰硬，增加了制作上的难度。与后来1996年的"殛"有相似之处，制作上的难度，强化了作品的情绪蕴含密度与视觉冲击力。

钢筋嵌入岩石；岩石则因受了钢筋网的嵌入而形成视觉上向外的张力。两种强硬与沉重的材料相遇，向内与向外力的冲突给人以视觉与心理上的冲击。作品的复数形式加强了这种冲击与对抗的力度与规模。

作品的制作方式与材料处理手法借鉴了古代传统金属镶嵌工艺，但材料与尺度的不同，又得到完全不同的审美经验，最终达到传统工艺形式向现代视觉方式的转换。

这批作品其实是在样式艺术处于无奈境地下，随个人的心绪自由发展出来的，其中不难看出作者昔日对造就个人风格之理想的向往，也饱含着在民族化旗帜下对传统符号性艺术中的对称、平衡结构与凝重的神秘色彩的崇尚。但更多的是当今艺术的大背景下对往日艺术追求的梳理、反思和对未来的沉思，以及在实际制作中将个人内心宣泄需求的转换。构成的要素是复杂的，但清楚的是思维理性要由创作的直觉来显现；视觉艺术的普遍法则依然是造型的基本原则。它是秩序的、个人的、真实的。

触觉凹凸系列（之三） 大理石 70×70×35cm 1993年 李秀勤

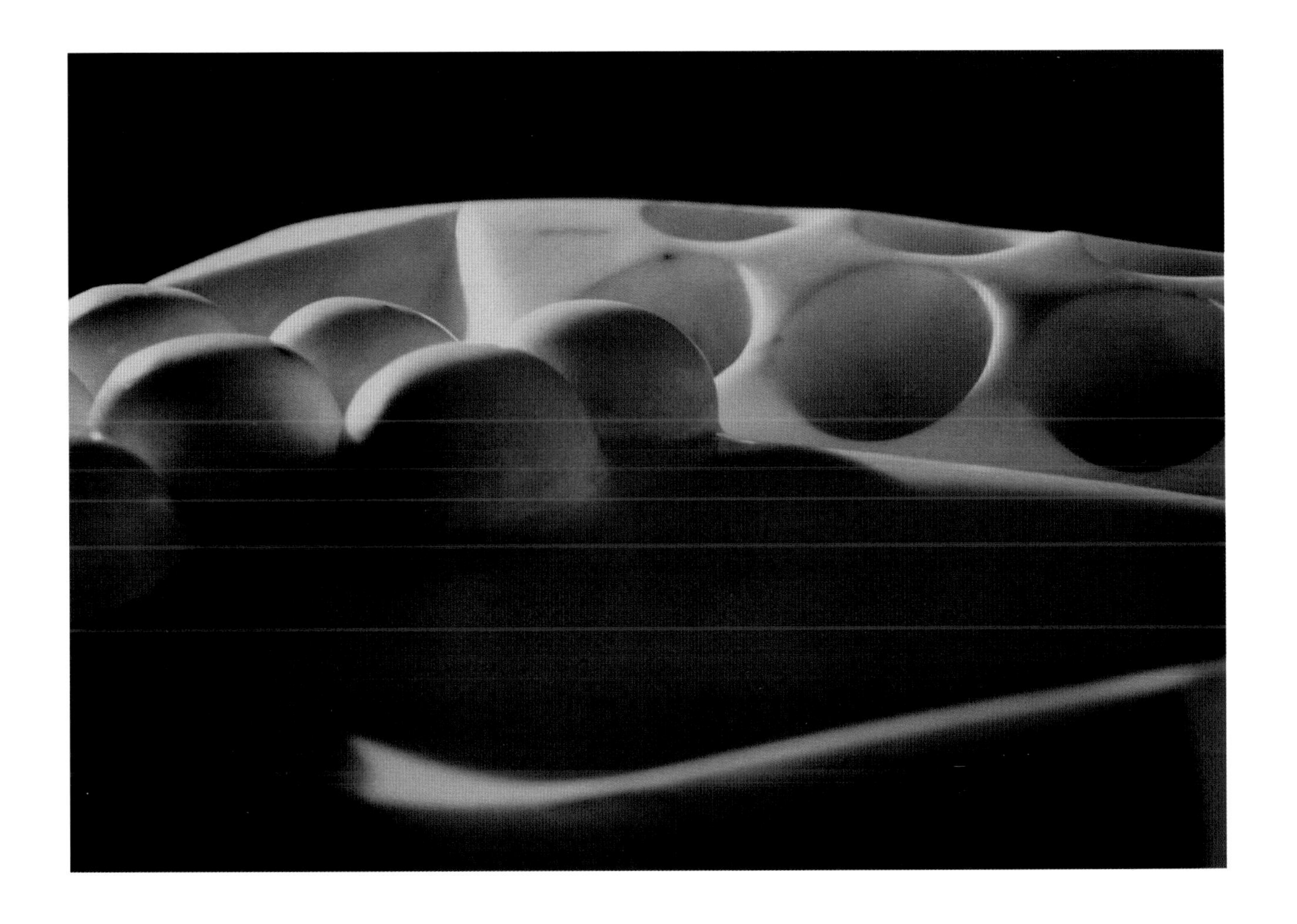

自1992年底我开始创作《触觉凹凸系列》作品。

视觉艺术是一个既传统又现代的艺术门类，但是它所观照的对象是有局限性的，所以当代对视觉艺术的开拓，就有了充分的理由。雕塑家是以雕塑的造型来展示自己的思维方式。《触觉凹凸系列》展示的是对视觉艺术和人类生命价值的思考。《触觉凹凸系列》的创作，始于我对个人经历的体验和我对雕塑最基本的认识。盲文，是一种国际性凹凸语言文字，是我表达《触觉凹凸系列》意念的桥梁。盲文的特性、形式和制作过程使我体会到强烈的人文精神和生命的自然形式。

我希望我的作品能与人、社会产生交流，其意义在于盲人的参与，人与作品，人与人交流的过程，这个过程以幽默的方式，展示了一种光明与黑暗、触觉与视觉、人与人的关系。盲点在我作品中是特殊的符号，它强化了一种冲突，凹与凸的冲突、光明与黑暗的冲突、触觉与视觉的冲突、正常人与非正常人的冲突。在参与的过程中，使人们认识到，每个人都有自己不能超越的那一点，从而强调人类在社会中的情感交流，在社会中相互协作的重要性。

《触觉凹凸系列》探索的意义在于通过对视觉艺术的反思，而体现对人类社会结构及生命价值的认识。

德国人封·谢林在谈论造型艺术时说："越接近顶端，一切形态的作用就越大。"艺术家李象群先生的作品《解冻》完美地契合了这种说法。紧遮物从头直泻下部，双肩以上是手臂而非手臂的处理出神入化，似是而非，似兽非兽，是人非人的魔幻色彩直逼你双眸。坚挺的翅或者是锐物被紧裹着直刺上苍，这种生命之巅向宇宙间的神界延展的气势，在画面的低调背景中把我们的视线紧紧抵住，气喘吁吁中，无穷的想像联翩而至，紧裹的双翅引领你上升。而在心底的另侧，当代人对权力与欲望的热爱从艺术家的心中淡化而出，精神的自救与平衡、宁静的心态使艺术家从名利场中自解出来。泰然的心境源自于艺术家对人类生命之挚爱与本真的人生态度以及对艺术的虔诚，人性中博大而宽容的情怀在包裹着的双翅背侧面呈现出来。《解冻》不是冰雪消融，而是艺术家在不断的人格修炼中自觉与自律的突显，它把自我从虚浮的尘世中解脱而出，回到人本应具有的清静世界。其实，《解冻》还可以告诉人们：在所有的现实社会生活中，禁锢与束缚人的不是别人，正是人自身。（丁正耕）

这是一件为公共环境所创作的作品。作者希望将艺术性与实用性能有机的结合，希望作品不仅能被人扶、摸，体味形体、材质语言自身的魅力，更希望观众能成为作品构成的一分子。因此，除了雕刻的人物之外，作者给观者留下了一个空位，当观者坐上那个虚席以待的位置时，他和石刻构成的关系非常奇异和有意味。

生命在时空中消逝的过程所能留下的印迹，微乎其微，灵魂的飞逝更是虚无得难以追寻。这样的母题说它是先于作品的完成而存在于作者的意识里，不如说它早就潜藏在大千世界所有物质的分子里，只是随着“切割机”的尖叫和石头碎片的崩裂才逐渐突显出来。在人与物的每一次交流中，作者实际上是别无选择的。

我想艺术作品是作者感知世界、认知世界、表达自己的一种结果，同时应该是一种自然的流露。艺术家可以用自己独特的方式去观察、领悟传统，怀疑一切既定的、概念的东西，对一切不确定的、稳定的和已接受的概念进行自己的批评、解释，在已有的创造上进行新的创造。

封系列(之二)　石、铁、螺帽　62×54×37cm　1993年　项金国

艺术到底是作为纯审美情趣的语言魅力，还是作为艺术家表达思想的手段？这一直是当代雕塑家感兴趣的话题。因为它涉及到雕塑家日益认识到的自身的社会角色，或者说不可取代的社会地位的问题。

“《封》系列”作品的基本图式，可能来源于装配艺术的启示，它的符号涵义可以在立体主义和冷抽象艺术中找到匹配关系。作品中具有“X”形的符号看起来就像塔皮耶斯(Tapies An-toni)作品中经常出现的数字“4”一样，表示某种暗示和特殊的符号启示：鲜红色的“X”形，既表示“否定”，也可能表示“禁止”。“X”形的重复又能构成一张“网”，可能暗示“阻止”与“隔离”。那么符号内的现成品(也许是实物或者再生艺术品)正是作者提醒人们注意或者反思的对象：诸如金钱与美女、战争与谎言、偶像与帝王，以及那些代表社会一隅的“麻将风”、“印刷垃圾”等等。所有这些，都成为雕塑家项金国毫不留情的“封存”对象……这批作品带有明显的批判意识和观念性倾向，并且十分敏感地触及到现实生活中的社会问题。作品传达出来的信息正是作者欲意表述的观念和思想。(祝　斌)

封系列(之九)　石、铁、麻将　40 × 70 × 54cm　1993年　项金国

我在1992年开始创作的《封系列》作品实际是对中国雕塑现状反思的结果。起初我只是对自己以往的作品不满意，尤其是想对自己掌握的“塑造”法和“形式完美”的作品给予否定，我找到人们熟悉的、中国传统约定俗成的“x”形符号将我早期作品“封存”起来。从中我得到新的启发，同时也意外发现了新的创作途径。

鲜红色的“x”形，既表示否定，又表示终止，而且“x”形重复又能构成一张网，它暗示着阻止与隔离。使用“x”形与网状符号正好提醒人们注意或者反思那些习以为常、熟视无睹的对象——如金钱、麻将、流行文化等。

《封系列》系列作品一方面借鉴了结构性雕塑的语言方式——如对“x”形与网状符号的运用；另一方面，又选择了“现成品”——如对钱币、垃圾筒、流行期刊等的运用。这样不但可以消除观看者读解作品时必备的专业性知识，同时缩短了雕塑作品与观看者之间的距离。

我想《封系列》系列作品的意义不在于“好看”与“愉悦”，而在于艺术审美过程的时代性以及对现存社会关系的反映，从而构成艺术与观众在时空结构中的一致性。当我们得到当代人迅速的反应时，同时也检测了作品的价值与意义。

衡　树脂　70 × 60 × 160　1994年　　王　伟

作品吸收和运用了中国传统雕塑的表现手法，并通过作品造型、结构与动态上的均衡来诠释自然、生命、和谐、平衡与永恒。

萌发创作《行进》是由于长期以来我对现代与传统这两个板块的思考。现代与传统这两个概念是分开的，传统是指过去留下来的；现代则标志着现在，蕴含着未来。但两者是必然联系而不可分割的，传统如长河里的水，水越多，流越长，现代的东西是新的，正如河里的鲜活鱼，鱼的生存条件是靠河水所供给的。

《行进》以机器人的形象标志着现代社会人类科学技术发展，而兵马俑是中国古人智慧的象征，前后两个形体组成一个人的造型，隐喻着人类从远古走向现代，前者与后者紧密联系，前者是发展，而后者则是前者的依托，这就是《行进》所要表现的主题。

人躯干　漆 163 × 68 × 66cm 1994年　田世信

受中国佛教雕塑菩萨造型的启示，我试图将东方女性的特殊形体美用雕塑形式表现出来。
用生漆、麻布为材料的脱胎漆塑更是中国传统雕塑中的一种制作工艺，它可以更好的保持原作的精神，且材质优美。

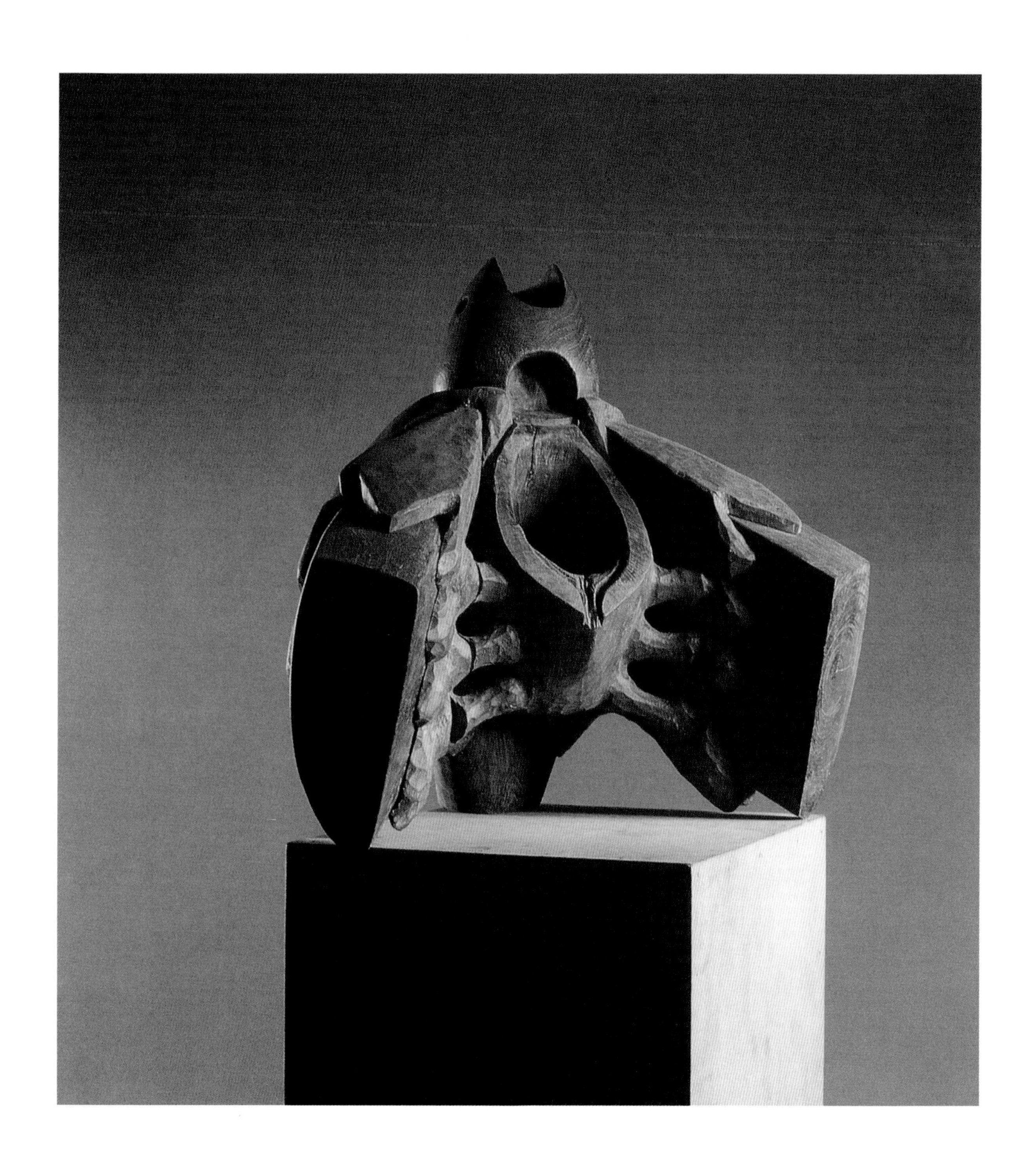

开与合
扣与接
穿与斗
围与圈
榫与卯
支与承
呈展翼之势
直逼云霄

躯体系列(之三)　木、棕　45×45×112cm　1994年　孙　伟

1993年我开始动手创作我的《躯体系列》，我想把控制自己"躯体"的紧张和冲突表达出来，同时又想让我内心的抖动平和下来，以使那种紧张和冲突所承载的雕塑形体能够突显。因为我不愿意把自己胆小的缺点暴露在冲突与较量的对比中，那种怯懦的抽搐是深藏在内心的，是我感受冲突和紧张的兴奋剂，是我用来对比观者的情感尺度。我想让人们看到的是力量的冲突，是我用朴素的钢钉打入"躯体"后的内力与外力的冲突；是我用绳索束缚那些柔弱"躯体"的束与脱的僵持和对峙。

在这次创作激情的爆发过程中，我在连续5个月的情感冲动中一下子完成了15件《躯体系列》的作品，直到筋疲力尽时我才罢手。本来计划把这批作品集中起来做一个个展，但这个时期我个人人生中另一件重要的事情发生了，这就是我可爱的妻子腹中正孕育着一个新的生命。这是我和妻子相爱十几年的成果，当我望着妻子正在隆起的肚子；当我细细品味她渐渐变化的步态；当她依偎着我在晚春学院操场的那棵大槐树下踏着满地槐花散步时，我又一次深深地感到了"爱"，一种深沉而平淡的"爱"。在这种"爱"的不断积累中，我内心的那种"紧张"、"冲突"、"怯懦"和"抽搐"渐渐得到了安慰，这是一个新生命对我的安慰。这使我朦胧的意识到我内心是多么缺少爱，也正是我们的内心缺少爱才会使我们的内心充满着怯懦和冲突。我凝视着我的《躯体系列》，我不断地拷问自己：你们为什么表现得那么狰狞？你们为什么显得那么躁动……

红土·红旗

综合材料 160 × 200cm 1994年

孙绍群

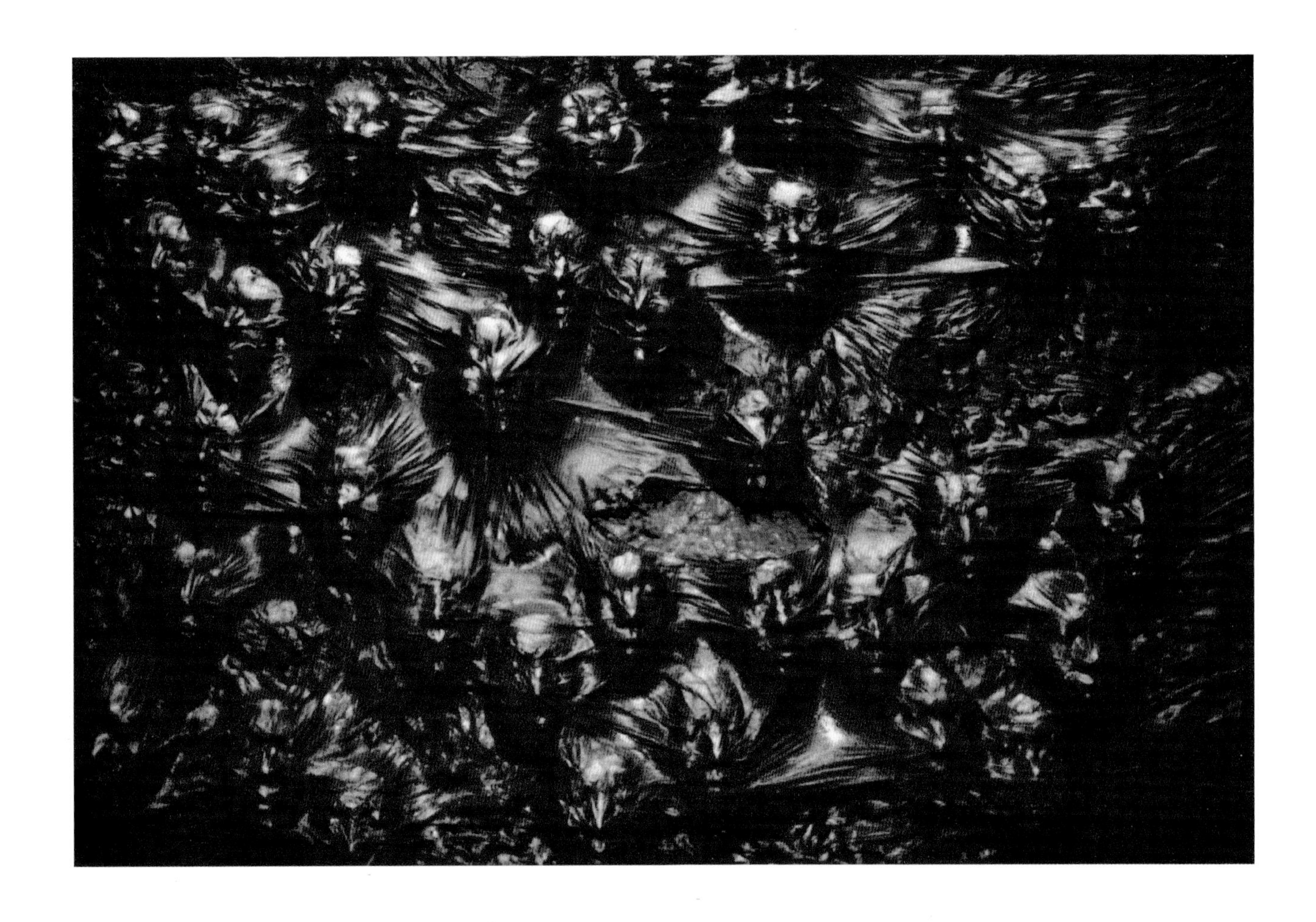

这是一件为参加八届美展而创作的作品，由于种种原因落选了，我找了一片红色砾土，做了很多面模放在红土上，怀着对先烈志士的虔诚，把一块薄薄的红绸覆盖其上，完成了这件作品。

触觉凹凸系列——被开启的空间　松木、金属　70×70×80cm　1994年　李秀勤

自1992年底我开始创作《触觉凹凸系列》作品。

视觉艺术是一个既传统又现代的艺术门类，但是它所观照的对象是有局限性的，所以当代对视觉艺术的开拓，就有了充分的理由。雕塑家是以雕塑的造型来展示自己的思维方式。《触觉凹凸系列》展示的是对视觉艺术和人类生命价值的思考。《触觉凹凸系列》的创作，始于我对个人经历的体验和我对雕塑最基本的认识。

我希望我的作品能与人、与社会产生交流，其意义在于人与作品、人与人交流的过程，这个过程以幽默的方式，展示了一种光明与黑暗、触觉与视觉、人与人的关系。凹与凸的冲突、光明与黑暗的冲突、触觉与视觉的冲突、正常人与非正常人的冲突。在参与的过程中，使人们认识到，每个人都有自己不能超越的那一点，从而强调人类在社会中的情感交流，在社会中相互协作的重要性。

《触觉凹凸系列》探索的意义在于通过对视觉艺术的反思，而体现对人类社会结构及生命价值的认识。

"性"的成分在我的作品中不是刻意追求的效果，只是一种自然的表现；使用具象语言去塑造女性人体，"性"是个不可回避的问题，如果说某件作品"有点暴露"的话，那也是作品本身需要，我只是把它当成空间中的一种偶然事件。人们看她们时觉得异样，是因为跟他们经验中雕塑对女人体的表现不一样，其实对性的态度大多数是一种群体反映。

易碎的复制品　蜡、塑料薄膜　80cm × 50　1994年　姜　杰

《易碎的复制品》是我在1995年个展中的一组作品，在这组作品中，我将制作好的三个不同姿态的婴儿，用蜡复制了50个。我将它们同时放入一张吊起的塑料薄膜中，易碎的婴儿制品在无序的状态中相互挤压、碰撞，我意在揭示生命的残酷性。

雕塑是立体的艺术，传统上人们习惯于从不同的角度观看一件作品。在这组作品中，我运用了雕塑的特殊性，将同一物体的不同角度同时展现，以期达到互为复制的效果。这样，观念也就从传统的观看行为变为被迫接受。

结　棉线、宣纸、纸浆、木　800 × 270 × 120cm［(90 × 90 × 15cm) × 24］　1994-1995年　施　慧

施慧的作品表现了她对物质材料的敏感。她的装置作品诱发观众产生触摸它们的愿望，这是由于材料本身的可亲近性，再则由于作品表层所体现出的可触摸感——它们是可被认知和触摸的。正是这种由基本规则的小块单元重叠而成的整体——并且还可以继续增殖，多孔隙的表面有无限包容性，使得它们本身体现出内在的力量。这种力量让人联想到生命的过程。(徐　虹)

临界·大十字架——黎明的弥撒

木材、灯泡、地球仪、有机镜片、金属链、油漆等 340×200×200cm 1994-1995年

高兟 高强

秉持理想主义这一知识分子的本分，高氏兄弟对人类的精神处境的异化身怀关切，并时刻准备去寻绎问题产生的原因，在系列装置作品《临界·大十字架——黎明的弥撒》中，十字架的元话语是认知基础，而在解构式的重组中，先验的一致性改变为存在经验的多样性和丰富性。从某种意义上讲，这是对十字架的创造性僭越，也是对“西方中心主义”的一种颠覆。但对中国文化来说，“十字架”是一个异样的“他者”，它对目前一些文化人是很敏感的“后殖民主义”的挑战，也是对20世纪90年代日益庸俗化的文化现实的挑战。在被整合的意象中，“十字架”显示了一种在场的关系和秩序。它来自于视觉内不可见事物的间接的、根本无法把握的严格暗示，也正是对这一难度的征服，使之产生了一种取代美感的崇高感，而这种崇高感不是主观想像力的满足，而是源自作品持续的冲击力。(岛　子)

这组系列作品创作于1993年下旬，1994年4月正式展出，总共18件，展出现场装配有黄土和脚手架。每一件的姿态不一样，但都必须是超常的动作，所形成的只有衣服的空壳，而这种超常扭曲又恰好和中山装在一个世纪中所留给我们的庄重、严肃的印象及衣服样式相矛盾。这看起来似乎是个游戏，而在这游戏背后所表达的实际上是作者对人的欲望和痛苦乃至扭曲的关注和体验，就像我们看到蝉蜕下的壳一样，看起来好似在挣扎，实际上却已是个轻薄的空壳了。作品用人生的壮烈与游戏结合的创作观点对应我们内心深处的人生虚无之感，而这种近乎荒诞的感觉正是作者在这一系列作品中着重要表达的。“作为展望的语言，其中山装和扭曲状，及其展示方式虽明显带着直白的社会性，但精彩之处却在写实衣纹所呈现出的实体感与空壳之间形成了真实与荒诞的某种关系”。(栗宪庭)

伸展的生命系列（之三） 青铜 38×36×23cm 1995年 十小平

"……生命形态被作者置于一种强制性的结构之中，对'禁锢'与'伸展'这一对矛盾的生命形态的理解由于材料和造型方式的适时而显得具有某种神秘不可知的属性，在这里，作者的个人经验和对文化现实的理解是以一种历史的、理性化的方式得以展现的，'东方性'已经超越了外在形式符号和标本化的造型隐喻层面。"（黄　专）

这件作品的产生来源于大脑某个时刻的“真实”状态，也可说是“误入歧途”。作为一个创作者，我从来不曾真切地看见被许多人奉为神灵的“灵感”，但这一次我真切地感受到内心的狂喜。这样的瞬间完全是一种来去无踪的闪现。此后的日子里。在创作中我不止一次地祈求那样瞬间的重现。无疑它们是不容驾驭和难以再现的。不过，就此获得的某种解放和自由是这件作品带给我的最大收获。

男人头像　　黄铜　52 × 39 × 40cm　1995年　　余志强

20世纪90年代后期，出于对当代人精神状态的体验，我又回到人的主题上。但传统的泥塑、翻模、铸造的方法似乎已经不能传达出在当下这个时代的感受，于是我尝试用焊接的方式来造型。

碎片的组合、保留粗糙的焊疤，是为了表现沧桑感，并与当代人的精神状态合拍。无论从什么角度看，人都不是十全十美的。完美、完整、秩序、只是理想；而残缺、琐碎、无序、则是存在。是文明的碎片、价值的碎片、信息的碎片、思维的碎片，这构建了人的精神家园。

我比较赞同王林先生的看法，他说："余志强用铜片焊接的空心头像，把人被信息时代片断化的处境刻画得直接而又深入。"

从1995年开始，我不间断的从事这样一系列工作，用不锈钢板材直接在天然石块上分块敲拓，然后焊接起来成为复制的假“假山石”。我把每一件作品抛光，并使这些假石头凹凸不平的表面光亮如镜，反映周围的情景。我还为此制定了一个未来的城市艺术建设方案。

这一系列对石头的改造作品源于这样的想法：假山石是中国传统园艺中必不可少的一种装饰，选取的虽是自然石头，但却是用来做假山，所以人们习惯称之“假山石”，它与古代文人对石头的收藏爱好一起，共同形成了中国人对视觉文化的某种概念上的假想要求，这种要求体现在人们希望在微缩景观中体验大自然的感受。

然而在日益工业化的当代都市中，传统纯自然的装点显然已不合时宜，高速度的物质生活冲毁了人们赖以假想的环境，而精亮华丽又不失自然造型的假石头正可满足当代人对自然的向往和对物质世界迷恋的双重需要。而善意的反讽当代都市人过分的物欲和实用主义也正是这件作品所要表达的。

作为对观念、技术与物体结合的尝试，不锈钢假山石成为我最有代表性的作品之一，反映了从对概念的质疑开始到制定新的可能性的否定之否定的思维过程，而这也可视为是对扩充雕塑原有概念的实验。

都市系列——学交警　青铜　60 × 18 × 18cm　1996年　于　凡

用传统的架上雕塑形式表现当代题材是这个系列的主要想法。在形式上借用了很多中国传统雕塑的方式，是想用中国形式说中国的事。

我记得当时我努力想证明的大概是“传统的雕塑仍然是今天可用的形式”。几年过去了，雕塑界的进展已让这句话成为不言自明的废话了。

从躯干射出的光　　白大理石、灯光　62×30×92cm　1996年　　邓　乐

一切经历了现在而成为过去的文化艺术都是人类共享的文化资源。先辈大师从工业文明和原始艺术的图式中吸取营养创造了20世纪的辉煌。今天我们站在当代的文化背景中来回顾从古典到现代的漫漫之路，发现雕塑造型中空间要素存在着许多可能。我将中国的《石麒麟》、印度的《山木女神》、美洲的《奥尔梅克大头》和欧洲的《维纳斯》加以复制，凿空内部，获得一个内空间，然后用机械穿孔的方式连接内外空间，形成无数的通道，并在雕塑内置放灯光。光作为造型的物质材料，充盈了打造的内空间并经过洞孔向外衍射而获得光所触及到的更大空间。被复制的文化图式意义并没消解，它们在不同的文化背景和环境空间中释放出：东方与西方、传统与现代、体量与空间、传统媒材与新材料、传统技艺与当今造型手段等有了更加丰富的文化意义。作为一个艺术家，我选择空、孔、光作为雕塑的表达方式和研究课题，正不懈地为此努力，并愿乐此不疲地做好一个职业艺术家为雕塑应做的工作。

工业的产物——汽车引擎，集中体现着现代的工业文明。人类社会在进入飞速发展的工业科技时代后，整个社会就犹如一台巨大的引擎，各部分间紧密合作，释放出强大的动力，推动着自身前进，任何一个部分的问题都会引发整体的瘫痪。抛开任何其他因素，引擎本身的造型就带有强烈的后现代气息，传递出工业化社会给人类带来的非自然的感受。

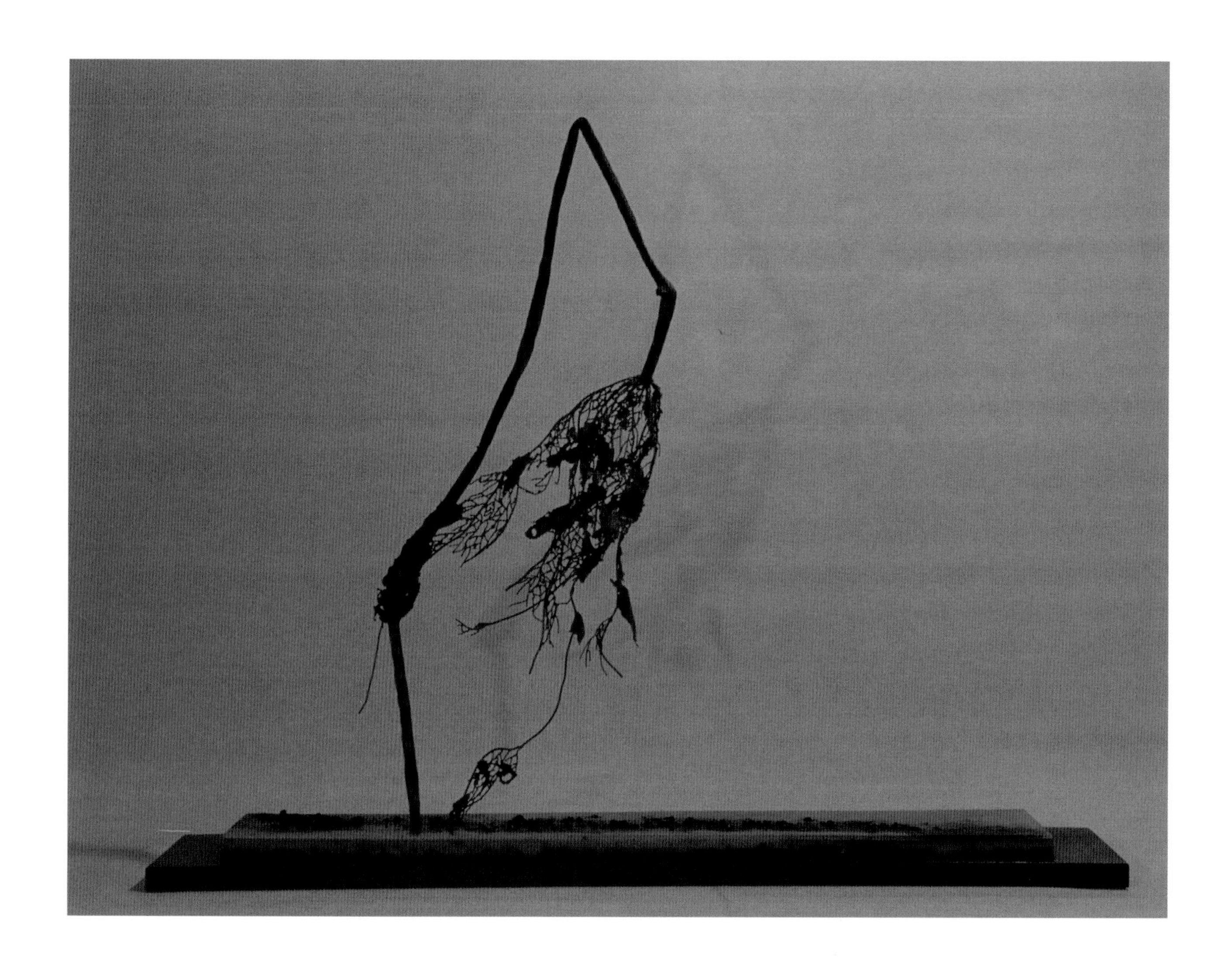

作为一种传统的意象。“莲”在我们的文化中，已经被赋予了极其丰富的内容，我们言说“莲”的时候，我们常常是在说一种文化、一种政治，一种道德……也正是这些铺天盖地的附加值，造成了我们对“莲”的感觉的麻木、僵硬和概念化，当“莲”的过度的所指，以至于终于变得无所指的时候，我们可以认为“莲”正在离我们远去，或者已濒临死亡。

在《莲系列》里，史金淞在人们熟视无睹中，发现了它的问题，他以一种批判的精神、游戏的态度、化解这种沉重的历史重负。

史金淞摘去了它过去曾有的美丽外表，温情面纱，把它不可避免的没落展现出来，把曾经神圣化、理想化的意象还原到一种普通生命的位置上，同时通过其背后真实的生命过程的归宿展示，让人们直面这种真实而无法逃遁，这就打破了人们的梦幻，动摇了制造这种神话的文化根基。另一方面，我们又从它的残破、凋零、衰败之中，感到它所传达出的一种“无可奈何花落去”的感伤和惆怅。(孙振华)

其浓厚的自然背景已渐渐淡去无踪，铜片、型材、残枝、败叶构成一空洞的人文景观，是否正孕育着某种等待某种超然？或许正来源于这近乎瘫痪的尴尬。

我理解

雕塑不是表示器物：只是一把椅子
　　　　　　　　　只是一堵门
雕塑不是表演器物：不过是一张“椅子”
　　　　　　　　　不过是一扇“门”
雕塑是一种原作表现：是一尊《椅子》
　　　　　　　　　　是一尊《门》
雕塑是“形而下者谓之器”与“形而上者谓之道”之间的汇通。
“形下”之上——得形不忘意。
“形上”之下——得意不忘形。
雕塑最终追求一种原作境界：秘示　突兀　空寂　凝聚
而不是复制多次的现实状态：传真　计划　复印　下载

1994年开始创作彩塑系列作品，反映的是自身内在的心态，而展开的一系列“行为”发现。有的同行看后，觉得比这之前的游离系列更有意思，我个人想可能是更具当代性、批判性。我们生活在这个空间里，所有的高兴、悲哀等都会体现在作品的“母题”里。这些随心所欲的“发泄”，通过立体的、彩色的、刺激的造型表现出来，体现的是个人情感世界。

近年来随着经济的大步发展，人们的外表形式比以往发生了重大转变，内心世界是否同步，值得怀疑，社会中存在的诸多不稳定因素，会在各自的行为规范中表露出来，种种不协调情景会发生在各种社会环境之中，表面的华丽娇饰掩盖不了内心的空虚、脆弱，我们当今就是处在这样一个不可思议、不能自拔、人人自危、非常敏感的现实空间之中。

我一直认为，任何材料都可信手拈来成为作品的媒介及手段，但是否能与自己所表达的观念一致却成为关键。在彩塑系列作品中，不完整的局部人体，过时的、传统的、大众的服装似乎是毫不相干的搭配在一起，引起视觉的不悦，隐秘性的增强。这些都发生在我们的现实空间中，在这里，传统的上彩手法、形体塑造法毫无技术可谈，矛盾的焦点是作品给人们注入何种现实话题。

大拳套　玻璃钢　106 × 70 × 70cm　1996年　　孙绍群

我们的生活充满了包装，从广告到媒体，从歌星、影星到我们身体的每一个部分，我们从每一个局部被修饰和重新塑造，我们的生命开始了新的旅程，却又导致了意义上的退化，我们改造一切，享受一切，却又在内心保留着对原始的眷恋，这是人类的进步和尴尬。

拳套是攻击性的，却带有温柔的色彩，它使“野蛮”变为“合法化”，像避孕套般来得自然，完美无缺又令人不快。它是英雄主义的象征，说是垃圾也未尝不可。

20世纪90年代科技发展，文化昌盛，是人文精神、物质文明空前堆砌的年代。人类的劳动特征发生了巨大变化，而劳动始终支配了人的思维和思想。从直立行走到用手进行劳动创造，人的思想逐渐成熟而且不断演变。我们现实生活中，人的思想状态是怎样的呢？造型艺术如何去体现我们自身思想的某种模糊知觉的准确性呢？

在尊重雕塑作品本身精神的意境时，我并不渲染任何属于个人的痕迹，仅仅提出了两个问题，另外将《铝铂时代》标记一份"使用说明"：首先，我用易拉罐包装来包装人，用以体现人在工业文化和工业劳动中的立场或姿态；其次，她手中搬运的几何块则象征能量块以及某种沉重的生存空间；最后，是她的木讷、神秘和忧思，似乎，离我们纯真的年代已经很遥远，那一层又一层包裹在心灵深处的是什么样的原始初衷呢？

《远古之舟》是一首来自遥远他乡的航船，像一条古老的恐龙脊椎化石，一群群人拥挤在船头，等待着彼岸的到来……我从小生长在川江，对船有着太多太多的情感。船就像生命之躯，载着无数的梦想和茫然、欢乐和忧伤。我喜欢古典的形式和古典的材料，我把它们看成仅仅是精神的载体，当我们审视和批判传统艺术的时候，青铜包含着古老而神秘的丰富内涵。

一个瓶子　皮纸、宣纸、浆糊、瓶子　120 × 120 × 305mm　1996年　张克端

物品是以一种具体形式呈现出来的。我选择了瓶子这样一个物品，它是生活中经常出现的形象，酒瓶、酱油瓶、醋瓶等等。纸是一种很薄的材料，我用纸一层层地包裹着瓶子，每一次都企图保留它先前的样子，但日积月累，瓶子使我辨认不出来，变成一个说不清是什么的东西。我对这个过程和它的效果很感兴趣；就其被包裹后的形象，好像也带有一种沧桑的感觉。

几位朋友以“时间”作为契机，组织一次活动，我本人以不断包裹的过程体现“时间”的概念。

平行男女

纱布、蜡、现成品模特 45 × 45 × 270cm 1996年

姜 杰

《平行男女》中使用了两个现成品模特，它们原本是用来穿上时装摆在橱窗里的无性别小模特。我将它们买下，带回工作室，在它们身上用纱布沾上半透明的蜡，用我的技能对它们进行重新塑造，慢慢的肌肉骨骼越来越清晰，性别特征也越来越明了。因为是在原有的模特基础上覆盖，所以还留有原来的形状。我希望表达出一种对于商业社会的古典态度，而这种态度导致的现实结果是悲哀的：塑造行为无法持久，蜡将剥落或熔化。

《流韵》的基本形态为流线型，在看似随意的组合中造就了令人心悸的运动感，使冷金属铸就的抽象符号，宛如有血肉的生命，充满了生机；在切割的团块中，线、面的组合透出个人情绪化的荒诞感。构成似真似幻、神秘冷漠的诗意语境。这些作品的意义和观念之间由于材料、形式、语言的和谐统一而产生了一种任人遐想的多种领悟与多种情境，这正是全新的空间意识。（徐恩存）

20世纪90年代中后期，现代科技向人类生活的介入在更大的程度上改变着我们的时代和存在方式、思维方式、行为方式及行动结果。当代艺术也呈现出以现成品、流行物进行装置的特征。艺术以形而下的方式其实更直接、更明白地进入了观看艺术的人们的视觉和感觉经验，而且更易于向人们提示当代生活所面临的新问题。《CD》是在人们受到强大的科技新浪潮冲撞中作出的反应。的确，传统的安宁与人格早就不是一成不变的，其再次被当代文明切割开来也不会奇怪，新的存在理论在表现顺应潮流的视觉“酷”感后一定会支撑时尚的先锋，在众神狂欢的时代只有批评者会被历史所抛弃。

我突然发现幻觉世界与真实世界的互为拯救在一个打盹间发生了，因为在搬动巨石的劳作中我十分疲乏，这疲乏把巨石的沉重感缓缓地置于我的体内，我慢慢失去了人站立大地的自信，我感到我需要等待，需要重新攒积勇气摆脱身体的这一异化过程，我需要接住漫长的人生和艺术道路，我需要重新认识劳动本身，我感到身体内这一黑暗本身非常有力量，于是世界不再像平日的空气和水一样悄悄流逝，我感到这是自然的语言，我需要在巨石内歇一歇，我要放弃大脑、四肢这些永远摆动不安的念头和感觉，我必须接住这来自黑夜和无限异己的东西，于是，两个世界的关联开始了。

我没有征服石头，石头也没有征服我，我们彼此友好，彼此发现、发生；彼此连结、彼此合作，我的肉体在黑夜中成为巨石质感，巨石也在黑暗中脱落，在我的肺腑中呼吸、消化、成长……

这个这程似乎没有到达我们常命名的一瞬，它在万象中转换、变化，既不开始也不结束。

这个漫长的嬗夜，像一个寓言，从我的身体开始，关联了自然和人类的历史；关联着当下的世界和每时每刻发生的事件；关联着中国当代进行嬗变中的现实；关联着无限的空间。

我于是知道，我长期追求的整体艺术成为了一件具体的艺术品。

辫子是清代臣民梳理头发的方式，也成了一个时代的象征。作者机智地将辫子转化为特殊的造型符号，同时又借用了石碑的形式，目的是为了告诫后人“毋忘国耻”。（黎 明）

家具鲜明地代表着它的时代，不只样式，其材质、做工、色彩等等都有着时代审美的倾向。

椅子是权力的象征。

这由盛及衰的老家具的共同结果，是结了一身“晶”。这触目的晶莹之果，是昨日的真实，亦是几千年中华祖先的缩影。

今天，无论你已坐在太空船的椅上，或幻化在这晶莹里，都会将这件新文物作为一场黎明之梦，难以忘记。

这件作品使用了中国传统医学中的针灸手段，针灸用的针和针灸人都是现成品。当手捏着针，按照模型上特定的穴位刺入时，完全是一种医疗行为。而我将另一部分针灸模型重新制作，使之变成了一个个偶人。当我再拿着针，在偶人身上刺入时，扎针这个行为从原有的医治变成了现有的诅咒。虽然行为相同，但结果却截然相反。它包含着令人眩晕的文化悖论。

把与日常生活关系密切的车站作为空间背景，把当代生活中商业化街道的喧闹气氛融入到作品的斑斓色彩中，通过各种不同状态的暗示，而不是对每一个个体特征的辨认来塑造生活在这个南方城市中的人内在和外在特征，由这种社会现象的一般性表述引发了人生驿站的含义，从而概括出当代都市生活中的个人生存状态所具有的或然性。

我一生中最爱的就是我儿子，在这一阶段创作中，我最喜欢在作品中标注某些数字，这些数字在某种意义上代表着绝对和永恒。但是在创作《成长 No.1》这件作品时，我却无法在此用数字来记录。我好像是一棵老树，儿子像一棵小树，他每天都在成长，我也在期盼着他的长大，你这时又怎么能下决心把他标注在某种永恒中呢？

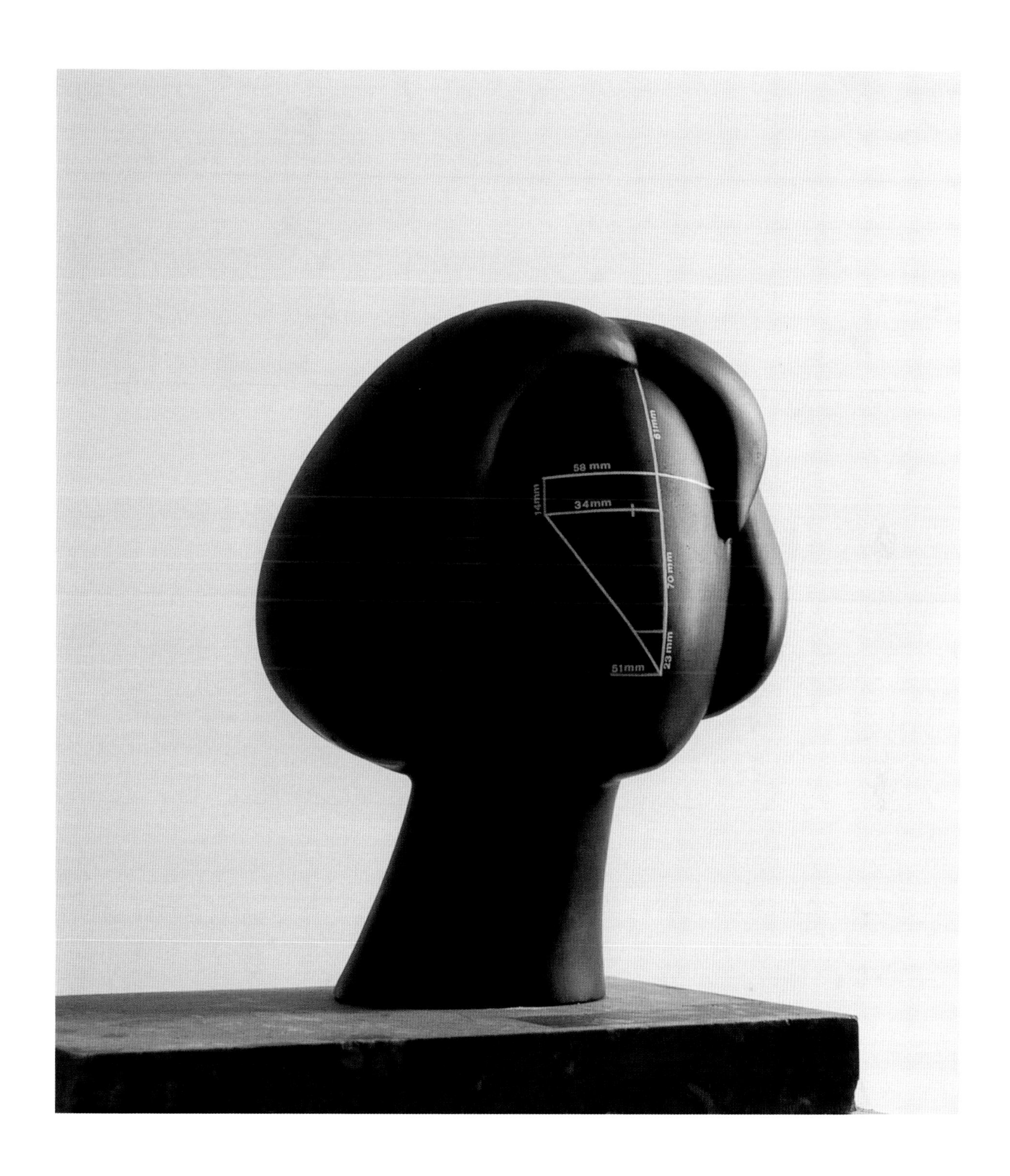

概念艺术家 Josepn Kosuth 的作品《一把和三把椅子》通过实物、实物照片和实物的文字说明，提供了一个由实物向观念的发展过程，并将有关客体的视觉印象与大脑概念联系在一起，我的作品只提供了部分视觉形象，其他部分只能通过概念（文字）联想到具体的客观事物，最后将提供的视觉印象与概念在大脑中联系在一起构成新的相对完整的视觉印象。这种联想是我的一种重要语言形式。也许，在此与 Joseph Kosuth 的作品有很大的区别。

我的很多作品由于没有提供完整的视觉印象，需要你去阅读有关数字或符号，这种阅读式看作品的过程，更长时间把你滞留在作品前，使你通过对文字的思考，渐渐的由概念引向对具体物质的了解，或者说对作品产生相对完整的印象。这一点与传统具象雕塑强调单纯视觉形象是截然不同的。

我在1997年创作的作品，总的面貌是以具象的形式出现，但它所侧重表现的又是一种借用文字和线来表达的概念，这种概念作用于大脑，从而形成了有关的物质形象。也可以说是一种知觉象征者(形象)与概念象征者(文字)相结合的作品。这些作品在风格上与我1997年以前的作品有很大的连贯性，在构图中同样包含着古典雕塑的平衡、典雅和理智，只是更加简洁，并趋向符号化。我所做的重要改变之处在于：很多作品的局部都是非物质的，也就是说没有知觉形象。取而代之的是文字和线的填充，而且是通过概念来进行形象的传达。

我以前的作品，如《急行》、《行街》注重作品与时代的融合。在1997年的这些作品中我转换了另一个角度去融入时代。计算机时代的到来，使生活更加数据化，人们每天都在不断地将数据概念转化成知觉形象。人们更加喜爱这种简明扼要的概念语言；它具有更加清晰、准确的功能，生活中很多对人体的审美标准已被数据所代替。时代不断地使人们习惯将概念转化成知觉形象，这改变着人们的审美经验。

这件作品是比较难以说明的。它究竟是装置还是雕塑？

我想，当把艺术归纳为“有意味的形式”时，意味的含义很复杂，有时是明确的观念，有时也许是读诗时常说的“意象”，这件作品更倾向于后者。

人们有时说这件作品让人想到英国艺术家达米思·赫斯特的《水箱中的鲨鱼》，我的水箱里是用传统的方式做的雕塑，是看上去像条鱼的潜水艇。

再造天性　　锻铜　85×75×65cm　1998年　　王　中

我相信有一种精神性的东西存在着，我希望我的作品能暗示或引申出某些精神性内涵，所以我做作品总有一种无法摆脱的沉重感。

沉重的力度感对我有着不可抗拒的诱惑力，也可以说是一种本能驱使。从物理的角度看，材料本身的存在反映了各种物种的有限性，而将冰冷的铁板、铜板等金属通过锻、铸、焊、割、铨、烧、阻隔、断裂等等手段扰乱金属表面，直面它们的内在，将材料内藏的、属于人文历史的隐喻引发出来，使之靠近我的心理感受，并呈现一种精神作用于观者。

这件作品是《生命系列》中的一件，在整个《生命系列》作品中我都试图传达不断发展的机械社会、秩序与人性的冲突，并希望以一种纯粹的个人精神去触及人们的心智，进而解释并影响一些与人类精神有关的问题。

生命？ 钢板焊接、锻铜 200×170×60cm 1998年 王 中

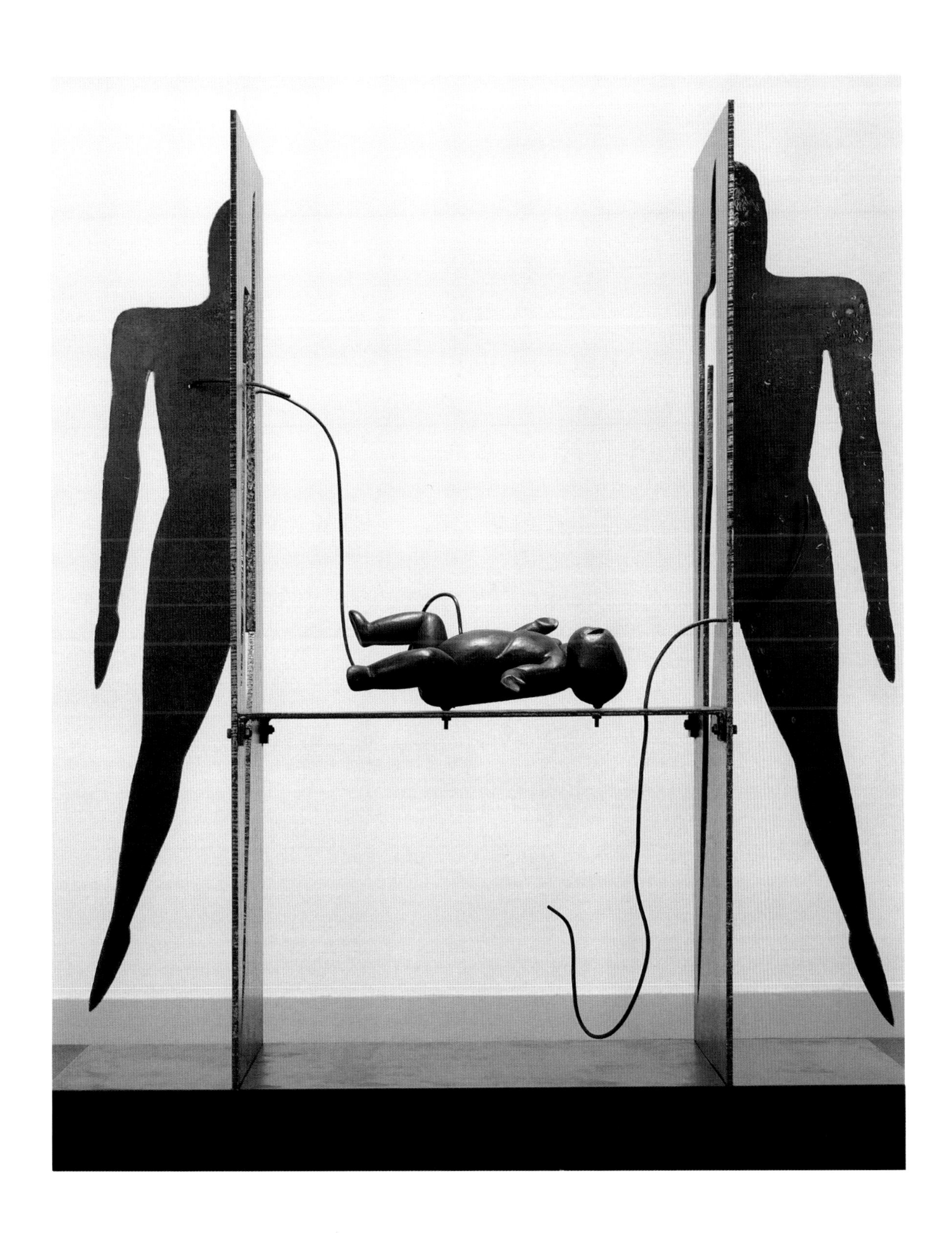

在《生命？》中，现实的描述被隐藏起来，但那种“精神性内涵”则来自对现实的反思，并通过形式的转换获得强烈的效果。这件以锻铜和铁板焊接构成的作品有一种视觉上的张力，两块铁板把一个人的剪影分为两半，中间的铁板上则托着一个锻铜的婴儿。这种严格对称的结构有一种沉重的压力感，这种压力既来自形式的张力，也来自形象的联想。两块沉重的铁板似乎对弱小的婴儿形成不可抗拒的挤压力量。形式的张力与主题的联想正是作品的意义设定：物化的人与自然的人之间的冲突，而且前者是后者的法定归宿。形式不是孤立地存在，隐喻的象征与现代雕塑语言、结构、空间、材料等融为一体，使形式同时成为文化与精神的载体。

作品《车马》表现车与马、马与车在时间与历史中的错位，作品中流露出一种灰色的幽默与荒诞。

新石器——打击系列（之四） 石、木 150×230×230cm 1998年 王洪亮

王洪亮的《新石器——打击系列》给人留下了较深的印象，也许这组作品更适合放在自然的环境中而不是展厅里。王洪亮不是单纯寻求石头这种最古老的材料的天然意趣，而是始终贯穿着人的加工行为，正是人文对于自然材料的进入，才使石器体现出创造的本质，传达出悠远的历史文脉。（孙振华）

新石器——打击系列(之九)　石、木　210 × 220 × 80cm　1998年　王洪亮

早上，当第一缕阳光透过石器的孔洞将光束投到另一块石器上时，石器形与影的移动，使这无声的石头有一种难以言喻的神秘；当阵阵山风吹过，石器在风中摆动，犹如远古之音随风飘来；当这些石头不再只是自然形态，而是赋予人文思想加以雕凿时，一点、一线、一刀、一斧都带有审美的趣味和色彩，成为有形之器。站在这些石器前面，一种回归自然、回归原始的感觉油然而生。

混沌的失却　陶、金属焊接　400×500cm　1998年　吕品昌

混沌，是一种存在状态，也是一种世界观。

世界是混成的生命体。混沌的生命元气，将大地万物贯穿和融为彼此依赖的整体。蛰伏萌起，聚散推抱，清浊显隐，皆为正反摩荡、阴阳交易的自然生命运动。普遍的生机自在混沌造化中。

存在就是存在，无所不在。它拒绝分分析析的这般那般，也无需去做从哪里来，到哪里去的终极叩问。合着自然节律的生命现象，既是起源也是目的。它所凭藉和显现的虚虚实实，透露着让这一切充满意义的无限天启。虚心会使我们灵明。高尚的智慧缘自无思的体道。

僭妄的现代精神，僭越的科学人、理性人、机械人，自以为有上帝的智能，竭力把时间拉直，把空间放平，铸成现代技术的钢刀，意欲砍去混沌，穷尽世界的终极。

于是，生活和自然成了绞尽脑汁一味拼杀的冷酷棋局：灵府和性灵成了毫无灵机悟性的钢架铁骨；生命元气和宇宙运动则成了原始大爆炸的物理能量，以及同土著飞去器般的不明飞行物。可怜的现代人，殚精竭虑，争天斗地，拥有的不过是个危机四起的异化囚笼。

运输线性思维的信息高速公路，永远不可能把人类带进上帝的天国。好在自然生生不息的阴阳变化，喻示了大道的依然。

阳光下的梦 花岗石 300 × 190 × 128cm 1998年 朱尚熹

关于“梦”的命题，我做过以下一些思考：

大脑是个奇特的机器，白天它通过感官收集现实生活大量素材，到了晚上则把它们加工制作成梦。可以这样说，不管什么梦，总会与现实生活有千丝万缕的联系。就是达利笔下的梦境也很容易辨认出与尘世相关的蛛丝马迹。就个人的体验而言，我从未做过与域外生命共舞之梦。

同时，“梦”又是决不重复现实的。加工制作的戏路非常广阔。有的莫名其妙，有的还非常合理，有的故事性还特强，什么花样的风格都有。

同样，梦又是那样的感人，中断的美梦常给人留下莫大的遗憾，而有趣的梦使我常盼望明晚有续集，噩梦则会使人惊恐，甚至刻骨铭心……现实中。有时太累了，我巴不得夜幕早临，好快快遁入梦乡。而有时一不小心误入噩梦，被鬼怪追逐无处藏身，我又亡命地睁开眼睛返回现实。

人，就这么简单，一辈子生活在白天与黑夜、现实与梦境这两个时空之中。

就“梦”的上述特点而言，我蓦然觉得艺术与梦有某种属性上的联系，甚至我还想进一步断言，艺术就是人类精神与生活之梦。

不过，我的几件关于“梦”的石雕作品却都躺在蓝天下，枕着石头，呼吸着来自树林、草地的绿色空气。她们都是奉献给大自然的贡品。在《阳光下的梦》中，我通过对母性的描写，并借助于雕塑自身的语言以及石雕特有的表现力，表达了我对大自然的那份深深的钟爱。大自然总是那样伟大、磅礴、丰厚、自在、安详而无私，我们没有理由不去珍爱她的一花一木、一山一水、一束阳光、一缕空气……

在创作中我运用了中国传统雕刻中体积与线条结合、圆雕与浮雕结合的手法，强化了作品的整体性与浑然一体的团块结构的造型感染力。为了进一步强化大地之母的概念，我特地在作品上刻上了表示东西南北的方位线。

在雕塑创作中，我热衷于追求作品的纪念性。这个"纪念性"从语言上讲是指造型与空间上的，而非尺度上的，从精神上讲应该是或宏伟、或庄严、或静穆、或神圣的，而非做作、娇柔、悦人耳目的。

我关注生命及其存在的各种状态，同时，毫不拒绝古今中外的所有形式。前者使我的作品具有了一定生活现实感与社会的当代特质，后者使我的作品具有超越时空的永恒性向往以及一定的感染力。

在《大塔楼》这件作品中，我试图以金字塔和楼梯进行语言叠加的结构形式，渐变的空间与形体层次，搭建了一座人类、社会及家庭的大教堂。在这座大教堂中，人类的情爱与家庭、责任与游离、稳定与失稳等永恒性命题被神圣化、宗教化、崇高化了。作品中家庭的模式都以男人与孕妇的方式出现，分别由四组人物组成，几组人物之间并无文学上的联系，空间的多维性及手法的象征性是作品的主要特点，塔楼就是连接各种因素的媒介。

《大塔楼》作为我《高跷》系列作品的进一步拓展，使我能站在更高的塔尖上，给人类及生命献上一首赞美诗。

我最怕对自己的作品写些什么，因为我觉得任何关于创作上的东西变成文字都显得矫情。创作是很个人的事，我只是在做自己的种种感受，没有什么非要坚持的观点和创作方式，至于别人看了能引起共鸣，应该是一种自然后果。其实我的东西只是描述，我期望观者从我的作品中看出的不是一两句话能说清楚的，如同我们面对生活中的很多事物一样。我最初的时候曾经以母子来形容我和作品之间的关系，“作品就像自己的孩子，你好不容易把他生下来，你和他就脱开了，你在成长，他有了生命也在成长，有时候会离开你走远了。他的生命最初是你给的，后来还有别人，生命的意义就这样越扩越大，直到远远超出你最初所给他的，所以我说我走了，作品也走了，没法说。”现在我想这个初衷没有变，因此，从一个立场的角度，我情愿放弃对自己作品的阐释权，并且允许误读。

梦中家园　花岗岩　380×190×160cm　1998年　刘少国

我喜爱绿色的生命，尤其是生长中的植物，每一片新绿都会令我欣慰，吸引我的注意。我的每一次创作，都是在尝试将“生命生长”的感受作一次“记录与转移”。

多年来，我制作的雕塑作品除了以泥塑以外，还包括玉、石、木、金属、树脂、塑料、织物纤维、竹签、纸浆等等，什么材料都想试试，“动手”多于“动脑”，往往醉心于制作过程而忘记其他。可能是对于新材料和制作的痴迷，常常引发我对鲜活生命形态的追寻，那些富于孕育感的形体，在外形上的简洁明快，内在的张力往往激起我对生命的感动和想像。

我关注艺术的新意，不过多地看重风格的养成。艺术需要有力度的真诚，我只想将令我心悸的这份感动，作出具有现代形态的诠释。

几年来，我一直希望自己能够处身于一种直接感性的创作状态当中。我从陶质材料中初获这种体验，它带给我多种创作的手法及丰富的想像力。我喜欢它那种素朴特殊的美感和个性。喜欢与粘土亲近留下的痕迹。喜欢它那来自泥土、窑火与人文精神情感的交融。喜欢那经过隐化后依然呈现的泥土状态。

一张老照片、一幅旧画片、一段老故事，常常使我在从未谋面的过去时光中得以停留，它们是那么的平平淡淡，从从容容，却源源不断地被引入我的创作当中。对历史的追忆，又从历史中反射出自我对生命的感悟和热爱，形成了我这一时期的雕塑创作的主题。

朝霞　陶　高68cm　1998年　李燕蓉

人总是生存在一个未知的，而又被预先规定的情境之中。当人不能驾驭命运的时候，社会总是被认定为不可抗拒的力量，而人自身的内在因素也往往促成命运的悲剧。理性的力量在命运面前是软弱的，不论有多少必然的规律在支配人生，我们总是感到偶然性在摆布着我们的命运。

砖与木结合的形式，是沿用至今的中国传统建筑的基本语汇。陶土与木的结合又传递出人与自然、生命同永恒的意义。这幅作品表达出作者对传统及生命意义的思考。

线的延伸系列（之二）　花岗石　96 × 110 × 50cm　1998年　余志强

20世纪90年代初，在相当长的时间内我曾迷恋于《线的延伸系列》的创作。线的意念源于我生活中的感受和对物质存在形式的思考。

我曾在藏区生活数年，那时经常在荒凉的群山中日复一日地行走，那蜿蜒于单调山体上的永无尽头的羊肠小道给我留下了刻骨铭心的记忆。

由此我联想到物质存在的形式。物质在空间中以“点”为基础而存在，小如种子，大如星球，都是如此。但绝对的空间是没有的，空间总是与时间联系在一起。只要一加上时间的因素，物质就呈现出“线”的存在方式。种子会发芽、生长；星球会运动，产生轨迹。即使是非物质的“思想”、“主义”，也有它产生、发展的过程，“过程”就是线性的。

选择石头作媒介，一方面是个人的喜好，另一方面，是石料与线形的矛盾可以给人以视觉上的异样感，可以引发人的思考。

群岛　纸、竹　670 × 150 × 15cm　1998年　张　伟

经过了12年之久的严格、正统的学院教育，我只学会了“写生”。上大学时，写生男女模特，雕塑人体；毕业后，视野放宽，开始写生自然景物。用雕塑手法写生风景，听着似乎不应该，所以我要运用东方式的思维来“诱导”大家一番：大自然同样也具有形体美！而人们通常所钟情的花儿、草儿、树木等等其实就好比少女皮肤上的一撮撮汗毛一样，并不见得有多美，真正美的是她的整个青春的身体。所以当我们不再爬得那么近，我们就能见到大自然的形体美了。我见到了它，并努力地“写生”它。

《群岛》就是近期的写生作品，它是我在日本茨城参加ARCUS国际艺术交流活动时制作的，从构思、选择材料、反复试制、到最后完成，耗用了三个月。这一件写生作品，我自以为从外观到内在精神都和对象相当的相像。

翻开的书本　综合材料　(120 × 40 × 40cm) × 3　1998年　段海康

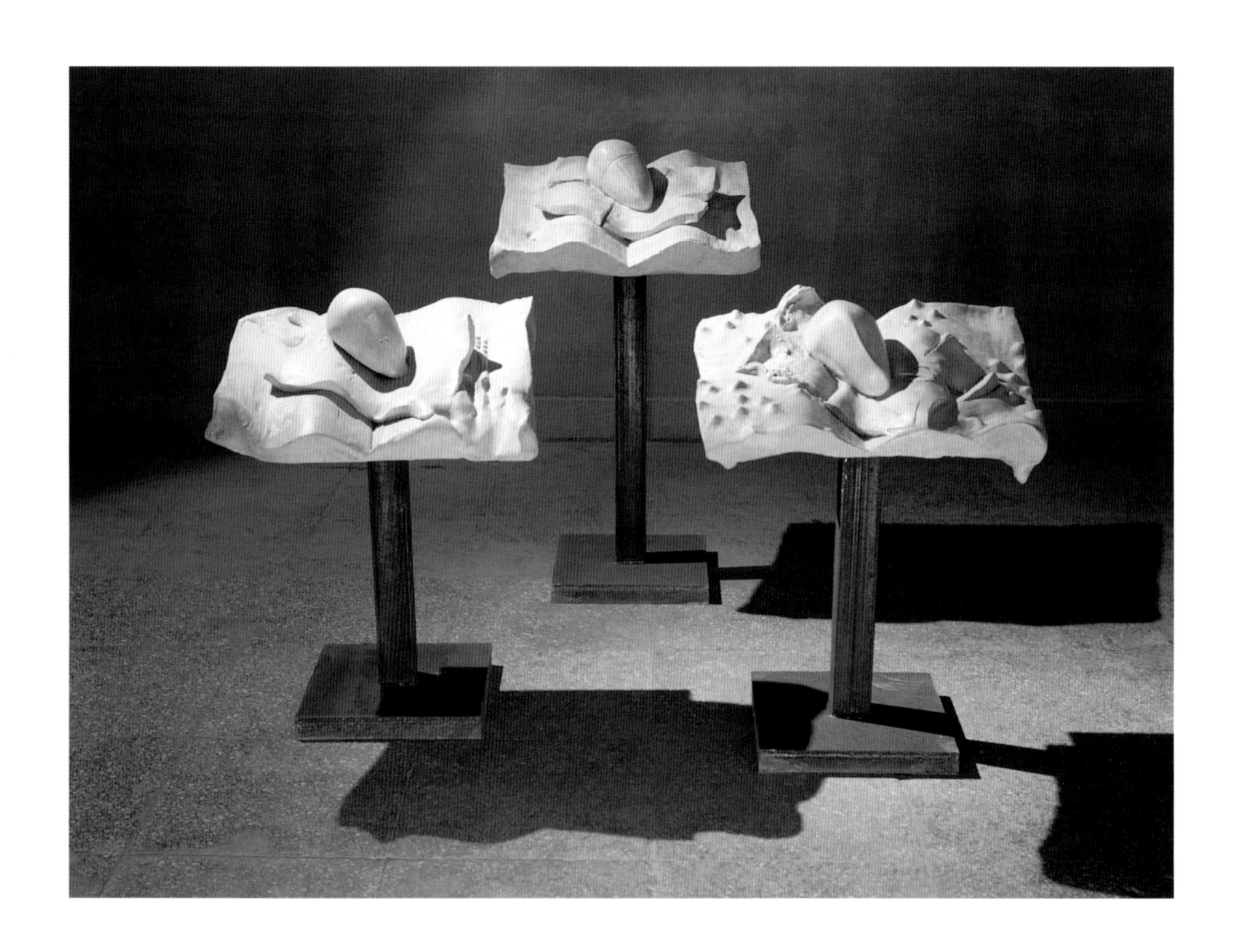

当我做这一系列作品时，很难说清楚为什么要把头的雏形与打开的书本联结在一起。也许由大脑生成的书本知识以及它们之间的相互依存、相互作用本身就是理由。

在这里我想打破既存的合理，所以有意分离事物间的传统关系，以重新置换、组合，进而创造出另一种逼真的幻象。作品中的这种不确定性，本身就对常规的法则提出了一种疑问，即对认可的事物重新审视。这件作品是对非合理的探索，无形之中为观众提供了一个阐释现场，同时它对观者的启示也是多向性的。

梦魇　青铜　170×50×45cm　1998年　段海康

1998年的一些创作让我又回到了对“人”这一主题的思考上来，材料也回到了大家熟悉的青铜上。我想，人总是活在过去、现在、未来这三个维度之中。有时，我们难以说清是否真实地活在某一确切的维度里面，也许梦境传达着我们某种真实的意愿，并组成了我们生活的一部分。过去与现在，梦与幻想的经验交织在一起，决定了我们未来的选择。

这件作品可以说是某种生存状态的体验与记录。斜躺的怪异人形与现实的人有一定的距离，眼睛还没有睁开，看不到实在的世界；没有耳朵，听不到尘世的喧闹；没有鼻孔，难以呼吸；仅仅有一张张开的大嘴，似乎在宣泄、呐喊，又好像要摆脱梦境中难以消解的厄运。在这里，我更关注或更想表现出噩梦惊醒的瞬间，这一幻觉与现实的临界点所产生的张力引发出警戒与觉醒。

我们现代人承受的各种压力容易产生出某种焦虑，我们是否找到了自己的出路？我们确立生命意义的同时是否找到了自我的完善与发展的轨迹？我一直在思考着。

施慧的作品表现了她对物质材料的敏感。她的装置作品诱发观众触摸它们的愿望，这一愿望一方面出自于材料本身的可亲近性，另一方面则源于作品表层所体现出的可触摸感——它们是可被认知和触摸的。正是这种由基本规则的小块单元重叠而成的整体——并且还可以继续增殖，多孔隙的表面有无限包容性——使得它们本身体现出一种内在的力量。这种力量让人联想到生命的过程。(徐　虹)

烟 铸铜 60 × 25 × 20cm 1998年

高 蒙

人类在走向现代文明的过程中，外在的困苦逐渐减弱之，但内在的惶恐却日益加剧，高度物质化社会的异化作用导致了精神生活的困顿，这使得现代社会中的人的内心感受更加迷惘和杂乱。《烟》正是通过直接翻制，把这些无形的心理因素转化到雕塑的形态中去，由此产生了一种修正了的肖像同艺术自我界定的综合。其主题不仅暗示了人的孤独感，同时，烟因能使个体短暂地超越现实，便赋予这一忧郁的角色一种从压抑的现实环境中释放出某种诗意来的韵味。

“中山装”是中国近百年来由半封建、半殖民地向社会主义新中国转变中产生的象征符号。

我把它放大到2.4米高，并配上一个巨大的陈列柜，向每一位中国观众提示一种生存经验。也许它会成为每一个中国人的“中山装”。

在反复制作这个符号形象的过程中，我发现，艺术家个人完全退场，中山装作为一个符号本身愈明确、愈单纯，作为观看者个人生存经验的直接投射也愈顺畅、愈彻底。

面对一个明确的符号形象，艺术家应该像一面镜子，只是忠实地反映这个符号形象。如果要有所强调，也只是强调这个形象本身，而不是艺术家本人的因素。

这种“无我”境界成为我把握和运用中国社会主义现实主义语言体系的方式。以这种方式，我可以把这个体系当作一种媒介来使用。这种对“无我”之境的过滤，使社会主义文化成为当代艺术的资源。

梦·投影

青铜　62 × 15 × 42cm　1998年

曾　岳

《梦·投影》以梦游中的人与身前的投影所指引的路表达一种人生不可抗拒的使命与悲剧结局。

《婚房》以新婚迎娶时的花轿和婚姻中二人担负着的带防盗栏的“家”的形式，传达婚姻中的责任感、自足感、安全感、均衡感以及活力、倾心、享乐与彻底付出的精神，表明婚姻的价值并不在其中可见和可流传的因素，两个人肩负着的只不过是一具空壳。

银鬃马　树脂纤维　153×160×45cm　1999年　于凡

我一直试图在传统的雕塑题材形式中找出一种新的可能性，如同炒菜，作料、菜名都不变，却能炒出新的味道。

“马”无疑是雕塑的传统“菜”，可今天我再做时，遭到好多人的疑问：“不就是一匹马吗？没有别的了。”言外之意，一定有什么暗含的观念存在，我无意与观众玩观念的捉迷藏游戏。

我想如果观众在观看时得到了在观看其他的马时未能得到的经验，并能有点触动，那触动你的就是我的观念。

中国有个老故事：古代有位高官骄横霸道竟“指鹿为马”，大臣们只能点头称是。

我想今天观众们对现代艺术的点头绝对没有被逼无奈的成分。

关注灵魂、关注生命、一直是我创作的主题。

《小女人》这件作品构思于1997年，题目与作品内容没有意义上的必然联系。考虑到女性敏感多疑，因此选择以女性头、胸作为符号进行创作。作品以红色陶土和金色铜丝为材料，用制作玩偶的方法，在1999年放大完成，置于旷野之中。

我认为世界是由一种神秘的物质构成的。最初创作这件作品是出于对这种神秘事物的向往。我利用陶本身空洞的特质，加上对眼睛挖空的处理，将人们的视线从外在的刻画，引入到作品的灵魂深处。人们从眼睛的空洞窥测到一种神秘事物的存在，即心灵的存在。或胆怯、或惊喜……作品像一面镜子，反射出人们的心灵之光。

宇宙是广阔而神秘的，我们只是宇宙中的一片尘埃。我创作这组作品是想将人们从物质的近距离引向精神的远距离，从而追问生命的意义，记起一个我们正在慢慢忘掉的生存的根本问题：我们为什么活着？

最后我想用美国作家詹姆斯·莱德菲尔德的一句话来概括这组作品："我感到整个宇宙就像我的肉体，而我是其头颅，或者确切地说是其眼睛。"

道　黑色大理石、灯光　87 × 50 × 64cm　1999年　　邓　乐

作品《道》用黑大理石复制一台长虹牌电视机，凿空内部并在屏幕上穿一小孔，这件作品在《世纪之门1979－1999中国艺术邀请展》上展出时使不同的观者有不同的理解。

复制生命(之一)　透明材料、硅胶、木、灯　100×45×35cm　1999年　田　喜

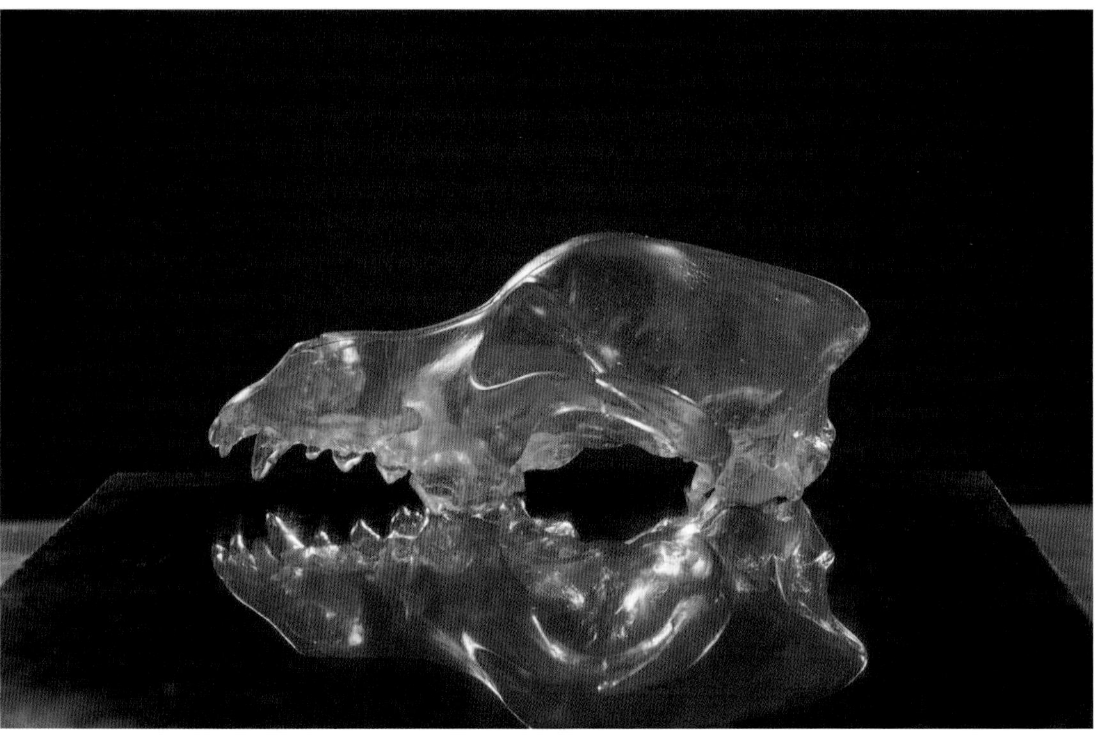

在创作过程中我试图利用某种能够通过感官引起特殊心理反应的材料，加上绝对真实的外形(从实物直接获取)与另一种绝对真实的材料(动物骨骼)的相互融合，去共同制定一个心理导向，从而诱导观众对我所设制的既真实又虚假的现场予以思考。我之所以力图避免形状上的人为技巧处理(如变形、个人味道)，就是想把作者本人的影子从作品中剔除掉，使观众从与作者的隔膜中脱离出来，并使其直接与作品面对，就如同面对一个事物、一则新闻或一个现场，这将使作品具有最大可能的冲撞力。

复制生命(之二) 兽骨、硅胶、木 25×25×20cm 1999年 田喜

在我看来，称雕塑为视觉艺术是不准确的，它与绘画不同的是，它是在现实空间中真实存在的实物。也就是说，一件雕塑本身就是一个物，它是三维的，有形状，有肌理，并且还可以有声音，有味道，甚至可以吃。一件雕塑作品可以调动人的数个或全部感官。因此，雕塑就不仅仅像绘画一样是视觉艺术，并且也是触觉艺术、听觉艺术、味觉艺术、嗅觉艺术。一个优秀的雕塑家必须凌驾万物之上成为指挥家和心理学家。

癌变 由8辆破汽车组成后，火烧了一个小时 直径600cm 1999年 **包泡**

从人类文明的开始直到今日，人类的苦难一天也没减少，战争屠杀变得更为有效，多种多样的自然灾害和疾病变得更为频繁。这一切比人类的文明的发展还要快，癌细胞扩散到了自然界、人类社会的所有组织中。

我常常在做陶中告诫自己，尽量看重自己的感觉，而不要刻意地追求某种观念。正因为不是直接地追寻任何明确预定的形式，以致往往会在制作过程中不期而遇地把它做好。当作品感觉完成了，你似乎会立马发现什么。

我最怕对自己的作品写些什么，因为我觉得任何关于创作上的东西变成文字都显得矫情。创作是很个人的事，我只是在做自己的种种感受，没有什么非要坚持的观点和创作方式，至于别人看了能引起共鸣，应该是一种自然后果。其实我的东西只是描述，我期望观者从我的作品中看出的不是一两句话能说清楚的，如同我们面对生活中的很多事物一样。我最初的时候曾经以母子来形容我和作品之间的关系，“作品就像自己的孩子，你好不容易把他生下来，你和他就脱开了，你在成长，他有了生命也在成长，有时候会离开你走远了。他的生命最初是你给的，后来还有别人，生命的意义就这样越扩越大，直到远远超出你最初所给他的。所以我说我走了，作品也走了，没法说。”现在我想这个初衷没有变，因此，从一个立场的角度，我情愿放弃对自己作品的阐释权，并且允许误读。

人类在进化过程中不断改变着自然世界，社会的发展也不断影响到人类自身，人是大自然和社会文明完美结合的产物。在我的作品中，“人”作为一种符号，包含着他所处时代的一切信息，我热衷于解读这些信息，并关注人的种种生存状态。

生命是神奇的，它包含了“形”的一切法规，也涵盖了“神”的千变万化，游历在“形”与“神”之间使人痴迷，审视人的生存状态，使人产生困惑与思索。

20世纪是人类历史上飞速发展的一百年，在这一百年中人类跨越了从农业社会到信息社会几个时代。作品《中国20世纪的沉淀物》是想把现在推向过去，并拉大观者和现在的时空距离，从而让人们有一个新的视点，有一个平静的心态来观察和审视人、人的行为和人的生存状态。

圣洁的莲花　铜、银、不锈钢、花岗岩　90 × 75 × 75cm　1999年　刘少国

近年来，我较多地采用光洁度较高的现代金属材料，是想将“生命生长”过程赋予更具当代视觉感知的形态，使得生命形态表达得更加畅快和激扬。

迷恋的记忆 陶瓷 33×49×32cm 1999年 刘建华

从1994年开始的彩塑系列作品，我一直是以服装与女人局部造型结合来呈现观念意图的。在视觉语言上直接转换成旗袍与女人体，但头和手的省去，保持了原来的作品方式，我总觉得头(形象)的存在，会干扰我的创作意图，使观者想象智慧的发展受到限制。旗袍是中国最具代表性的女性符号，符号形象直接提示到观者面前，给人会有许多莫名的幻想感和占有欲。沙发又与现代、权力、金钱、性感、舒适、西方等词眼联系在一起，这两种非常形象化、又截然不同的造型组合在一起，给人的想像冲击力是无限的……

作品的材料是瓷，而制作地则在中国瓷都——景德镇。瓷在中国有几千年的历史，并在国力强盛时代传到国外，因此有很深的文化背景。这次的作品制作工艺纯粹是传统的。在塑造语言和传统工艺的结合尝试上使当代艺术在材料的运用上成为很多可能。

叉子——变异的手　不锈钢　长95cm　1999年　许正龙

许正龙作品的意义不仅在于将这些日常生活的普通物品纳入到雕塑的表现范围内，更重要的是，通过物象折射出来的与人进行交流和对话的渴望。作品中的“物”成为作者与观众以一种最日常生活化的方式交换相互看法的媒介，物与人的关系在这里上升为更具有一般性的精神与物质的关系，这也使普通的物象具有了询问人的生存质量的可能。

（孙振华）

眼镜——我们的世界　不锈钢、铜　98×55×126cm　1999年　许正龙

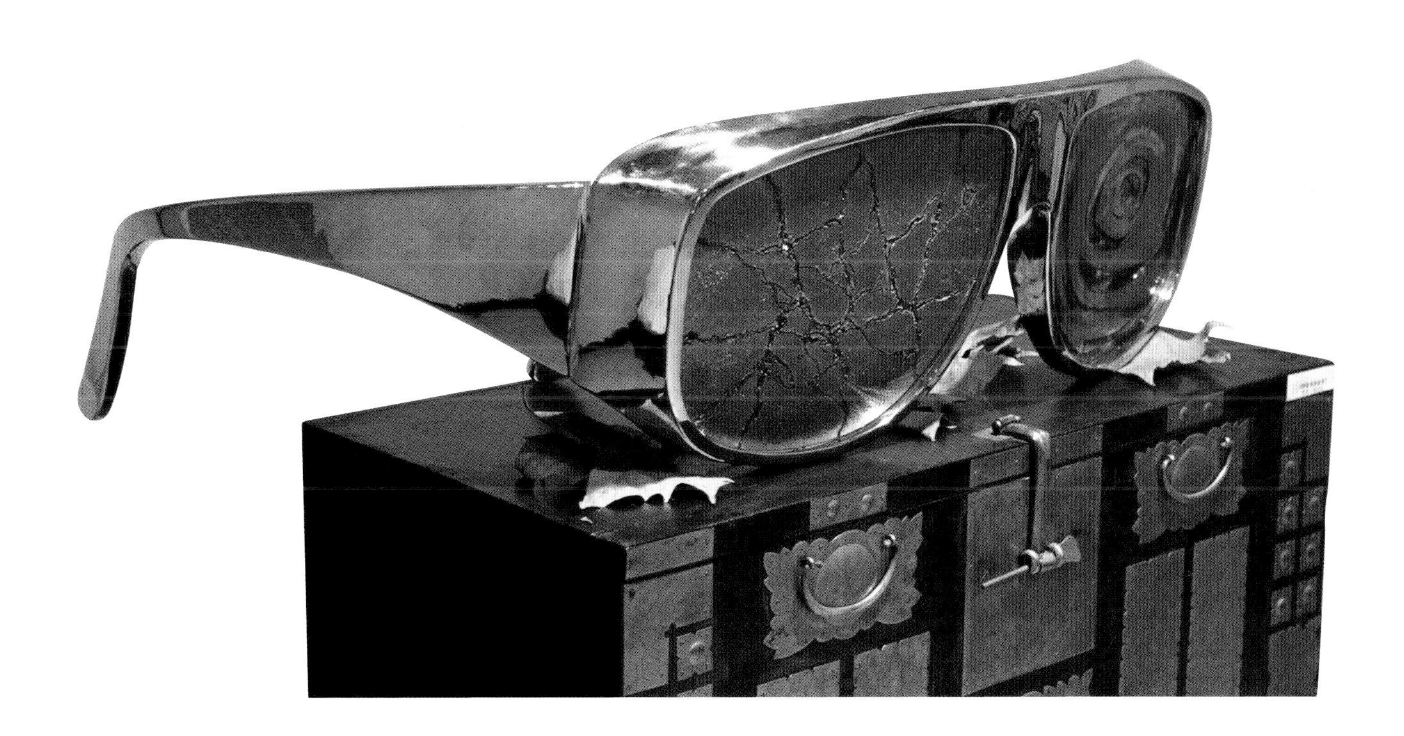

许正龙的作品最具有现代艺术的生命抽象的特征，他从最简单的现实物象中感受生命的形态，寻找形式的表现力。在这种风格中反映出的雕塑家对形体的敏感有着两方面的要求：其一是对生活的热爱，正像生命的灵气存在于万事万物一样，只有热爱生命的人才能强烈地感受到它的存在；其二是对形式创造有丰富的能力和强烈的欲望。只有这样才能从普遍的对象中发现生命的存在，同时又赋予生命以各种形态的变化，凝重、纤细、柔和、强悍……这既是对生命的赞美，又是形式语言的拓展。(易　英)

因为我是一个中国艺术家，所以才对中国的现实和历史有非常的关注，我试图用我的艺术来影响今日中国人的内心，来化解我的躁动和不安。

当我注视着每一扇敞开的小窗时，当我面对一个自然的山洞时，当我专注到某一个有空间向里延伸的表面时，我会忘记了我所处的纷乱的环境。我会冷落我内心的躁动而转向平和。我不断地在我的作品中进行着实验，试图用一种单纯的有机的方洞来吸引人们的目光，力图用目光这种生理的移动来完成心理的、内心世界的情绪变化。以此来抗衡我们社会中那种无名的躁动和不安。

我试图用一种平和的方式，一种东方人传统中的解读方式来表现我对躁动和激动的反感。

我希望人们特别是中国人能平静下来，深入到一个平和的世界中去，去选择一种“人本”的生活方式。这就是我的艺术。

重见森林　玻璃 230×180×30cm 1999年　李 亮

《重见森林》是一个关于生态的主题性创作，通过玻璃叠加构造了一个虚无的空间和一个永远无法触摸的空间，而它的形象是我们非常熟悉的，并使我们对自身的生存意识空间提出质疑。这种主题性的创作是很有必要的，在日益开放多元的社会中，针对一个问题使艺术家的创作与大众的生活紧密相关是很可贵的。

艺术应该回归大众，当然艺术的探索不是普及教育，但需要艺术家具有责任感，我们不能取之于大众，又在一旁游戏着我们的大众。

如果一个艺术家缺少了责任心和关怀的情绪，那么他的艺术生命将趋于枯竭；如果一个时代的艺术缺乏责任和关怀，这将是一个颓废的时代。

艺术来源于生活。

这似乎是无法再熟悉的一句话，也是前辈的艺术家们信奉的艺术真谛。时至今日，我们有必要重新思考这句话在当今艺术创作中是否具有同样的号召力，能否使我们的艺术更加大众化。从历史上来看，艺术的发展绝非为了艺术本身，艺术对于社会生活的作用使艺术具有向前发展的动力，而人对生活的渴望和态度则是艺术发展的原动力。那么我们应该如何对待生活？怎样思考？将是我们面临的问题。所以我们应真正地去体验生活，并在生活中得到智慧。

器具的美丽一度使我非常兴奋，器具本身具有人类的原创精神，改变着我们的生活，劳动者总渴望制作在工作生活中最实用的器具。而这些器具没有了繁琐的修饰，变得非常的纯粹，功能与形式完美地结合。但是当我们越来越依靠器具获得快乐时，快乐的惯性会使我们变得宽容，感官的享受削弱了理性的思考。人类发明了兵器，征服了大自然，获得了自由，同时饱尝着毁灭性的打击。我选择柳叶型和古炮型作为基本型，抽去形的意义，剔除功能性，使我们内心的"兵器"得到释放。

街景一　玻璃钢着色　120 × 47 × 23cm　1999年　李占洋

艺术作品是用来表达艺术家独特生活感受的，真实的情感通过崭新的艺术形式表现出来，作品才感人，真正具有创造性的艺术家在对传统的突破中重新建构新的话语。这种艺术语言与当下生活状况交融、吻合，形成一种既是当代的、又是艺术家独有的生存感受。艺术形式是不断变化的，它总是通过新的语言模式与旧语言模式的变异给人们提供新鲜的感受。

李占洋作品的突出特点是以他独特的“看”的方式作为语言的首选方式。他塑造的是他“看”到的景象而非杜撰的情节。同时，他还把“看”的方式巧妙地转化为作品的图式，引导我们也以他的方式“看”作品，从而像他那样看到了一切，这是他作品引起我们视觉兴奋的奥秘。他使用圆雕和高浮雕相结合的方式构成了空间，又把这空间设定在一个框架之中，使得观者的眼光不得不聚集在这个空间里，框的作用本来是使具像画具有真实感的重要因素——透过如窗户般的框架，三维空间的景观被集中起来。现在，在李占洋的雕塑中，框架同样起到了这样的作用，这个框架的运用在语言上吻合了，更确切地说是满足了我们今天“看”外部世界的心理趋势，由此显示出文化的意义。（范迪安）

横竖横　　青铜、金属丝网、油漆　80 × 60 × 50cm　1999年　　李鹏程

那是一个边远而又陌生的村落，那里的雨季从不润泽，那里的灰尘出奇的肥沃。

人们忙碌之余，从不忘记停下来去细细聆听“横－竖－横－”，那是令人幸福的唱音，那是稚嫩无比的希望，而似乎也令人辛酸。

我无法抑制真情而感动于他们的亮丽、机智与灵气，感动于他们的轻盈、坚强与优秀。

鲜艳的红领巾情系几代人的心。我们希望国富民强、国泰民安，让我们纯洁的灵魂不被侵蚀，也不混浊。

摆动的风景——东方祭系列（之一）

发辫、木框、铜扣　150 × 50 × 300cm　1999年

陈云岗

发，本为头毛，自由生发。少时黄软，稍长黑硬，后可做势。及长，则灰黄。及白，则离死不远矣！然自由之毛，自古即不自由，或束之，或割之，或散之，收收放放，割割蓄蓄，无以为终。尤大明以降，无论男女，一概辫之！辫，编也，束也，收也。及致留辫者留命，割发者革命也。自是一条血染的发辫。故祭之！

一念之间的差异　400×300×350cm　1999年　陈研音

艺术是某种心理的需要，是情感表达的某种方法。就像有些情感可以在梦中得到满足一样，而视觉艺术却表达了文字和行为无法表达的那一部分。通过视觉直接与观者的内心产生联系。它既不像眼神之间的意会，也不是语言之间的理解，更不是触觉之间的依赖，而是形态和心态的共鸣。

陆斌在他的当代陶艺中，无论是他的《活字系列》中出现的字模、汉字、药丸，还是在《都市系列》中出现的大拳套、鱼等等，都是我们生活中最普通的事物。如果说传统陶艺以实用体现与生活联系的话，那么陆斌的当代陶艺则是在精神上的回归，他的作品以通俗的题材，表现了对普通日常生活的关注。

《海》是站在云霄上“写生”的，它实实在在地描绘出了“四海一家”的感觉！这些岂能为绘画所表达？

预言　工业废弃元件、铁、不锈钢　570 × 270 × 270cm　1999年　高兟 高强

高氏兄弟在经历了"言成肉身"与"肉身成言"的艺术书写后，于近日创作了环境雕塑《预言》，这件作品在图式关怀上沿用了他们挚爱的十字架形，但其主题关怀却将技术、生态、灵命融为显主题，并将肉身、权力、金钱融为隐主题。它预告了20世纪波及全球每个角落的现代化运动在未来的结局。这场运动，本是为了把人类从依存于大地的农业文明中解救出来，而今却放肆地退化为对共在的大地与天空的蹂躏、践踏、伤害。预示生命的绿色大地表面，耸立着由废弃的工业垃圾制成的红色地球，见证出人性的贪婪与僭妄的罪恶。这条人类自近代以来自诩的解放之路，正在沦为把人引向地狱的通道。但是，从地狱的中心，我们的苦苦呼告生起了由红色十字架托起的新天新地(不锈钢球映现着蔚蓝的诗意般的天空、大地)。那是在历经血的洗礼、火的煅造后，一处只能由圣言拣选的族类才配栖居的地方。它从天而降，因为地球上的人类不可能借助技术文明再造一个可供人生存的福地。它让人联想到凡·高写给弟弟的一封很美的信。信里描述了凡·高的一次散步。他经过一片充满奇怪物体、形式和颜色的风景，那是当地的塑料垃圾堆。艺术家于19世纪末意识到的工业产品对人的审美冲击力，在今天已不再是一种意识而是我们生活的普遍现实。（查常平）

开始使用钢铁材料做作品的时候，我曾刻意地强化这种材料的伤害性，试图提醒人们关注和重视某些可能导致人类生存危机的问题。在运用钢渣进行创作的过程中，我发现这种炼钢炉里溅出的、随意凝结成一体的自然造型与某种生物的生长状态相似，于是我常把作品处理成植物状的造型形式。后来，我给我的钢铁作品加上花盆，把温暖而富有生气的植物生长状态置换成冰冷的、无生命的、充满伤害的材质生长形态。在某次展示的过程中，我为这批作品取名为《种植车间》，这是一个前后矛盾的命名，因为"种植"属农作业范畴，而"车间"则是工业生产的场所，但"种植车间"是一个社会化和体制化的概念，我借用这个概念来描述我的生态美学。有了"种植车间"这个概念后，我的思路突然更加扩展："种植可以成为我对现实问题的反应体，它是我艺术劳作的一个藉口，是我对问题表态的语言方式。我开始利用一些现成品对某些具体的社会问题进行"种植"，以一种调侃、讽刺、幽默的艺术面貌展现我对这些问题的观念认识。我不再局限于传统意义上的雕塑材质(石头、金属、木头等)的运用，我使用现成品，但作品的形态依然呈植物生长状，我的整个操作过程依然属于雕塑范畴，略区别于纯粹意义上的装置。我的《种植车间》由我的"种植"劳动和多盆"植物"成品所构成，而以某种现成品"种植"成的每一盆"植物"都针对某一个具体的社会现实问题。

在唐颂武的作品中，不论是树状的造型，抑或是植物状的造型，都有着一种扩张力，它们生机勃勃，不可扼止，在温暖的灯光下，会唤起观者的一种亲近感和触摸感。当你走近，便会发现这打光的刃口充分呈现了钢铁的损伤力量和功能。从这里可见，唐颂武构思的巧妙之处：钢渣的形状依旧，但钢的属性仍然潜蕴其中，在可能的条件下丝毫也不会减弱它的损伤功能。植物般的到处生长的钢的力量，真的如植物在荒土地上恣肆地蔓延着？

我们把这种钢铁植物般的蔓延的功能，交给我们的广大读者去进行价值判断。（马钦忠）

《中国制造》于1999年10月借深圳第二届雕塑年展(生态主题)出场。在深圳展出是一个再恰当不过的机会，因为当今在世界各地销售的塑胶玩具恐龙都是在深圳生产出来的。

从服装、鞋帽、玩具，到家电、汽车，以廉价的劳动力为基础的来样加工式的中国出口制造产业，为中国的经济起飞，进入国际资本运行轨道，插上了翅膀。古老的东方帝国，借助外来资本，重新膨胀壮大了起来。这是看《中国制造》这件作品的一个角度。

另外一个视角则是，随着跨国资本主义消费文化的进入，每一个中国人的欲望都被刺激了起来。第一世界的、美国的生活方式与水平成为不言而喻的目标。问题是十几亿中国人的消费欲望要有多少能源和物力来承担，它的代价要有多大！古老的恐龙被激活了！这种无边的欲望也成为一种“中国制造”。

《中国制造》将一个小小的塑胶恐龙用纯粹的写实手法写生放大一百倍，就是想凸显这样一种新世纪来临前、世界经济一体化背景下中国的经济和文化“生态”。

城市农民(之一)　玻璃钢　真人大小　1999年　梁　硕

从农村来到城市打工的民工仿佛是人类面对未知世界的缩影，他们从内心到外表都流露出一种与时代不相适应的尴尬状态。选择传统的写实手法是取其对于揭示真实的现实世界具有不可取代的优越性。作品试图通过突出的面部表情来证明具体的形象所产生的强大的感染力和说服力，并以大量细节的描述以及各种直白的表达方式来拉近艺术与人们的距离，把活生生的现实摆到大家面前，以引起人们对自身的关注和思考。

当代世界美丽的东西在不断被吞噬、践踏，而丑恶、肮脏的东西在迅速蔓延、滋生，简直令人窒息、疼痛。一个绝望、浑身溃烂的生命体在呐喊。在华丽的动物皮毛的遮掩下，令人恐惧的传染性病毒在不断滋生，构成一个难以忍受的图像世界。人类太会粉饰自身的丑恶本性了，总是以他者的态度审视一切，精神变异到肉体的病变，无休止地继续，这正是当代人类的悲哀。

琴嘎的雕塑首先还是由瘫倒在床上的马的扁平造型以表现主义的方式制造了绝望与挣扎，它宣泄着与无奈交缠的激烈冲突情绪，人的毛发的使用则使这些情绪进一步底层化。（吴美纯）

卡夫卡笔下的人变成甲虫或者其他动物是因为失去了在人类社会中生存的能力，对于人与人之间沟通可能性的绝望，是整个基督教文化，特别是自康德、黑格尔、马克思以来的异化主题。后来的一位波兰犹太作家也写出人变成螃蟹或者鸟的小说。

中国小说中也有人变为昆虫及其他动物的故事。其实，许多中国小说或多或少都涉及到这一主题。在中国文化中，这种人与动物的变形，较少悲剧性，在人与动物的交互变化中，获得的是一种超然的能力。这种主题多与中国泛神论的道家文化有关——人与天地万物并无特别的高下之分。

在靳勒作品中，人面鱼身的形象，使我们如临梦境。这梦境具有双重性：在想像的意义上，人与鱼的变形，是对于现实的超越；如果放在我们的现实生活背景之下，这种变形则突出了人类异化的处境。由于人类的异化，也造成了人生存于其中的整个世界的异化。

这些脱离开水的鱼，或者沉浮在水中的人既显示为受到生存环境的威胁，同时又显示出对于自己生存于其中环境的威胁。

靳勒自己说过，一般的、正常的观看，往往只能得到这个世界故意呈现给观看者的千篇一律的假象。反常的、病态的偷窥，则往往会看到出乎意料的真实，虽然这种真实可能会令人震惊。因此，他把自己这个展览起名为《偷窥》。意在呈现某种超乎现实生活表面的真实。

在靳勒作品中，人面鼠身的形象，使我们如临梦境。这梦境具有双重性：在想像的意义上，人与鼠的变形，是对于现实的超越；如果放在我们的现实生活背景之下，这种变形则突出了人类异化的处境。由于人类的异化，也造成了人生存于其中的整个世界的异化。

暗洞中的鼠以及在巨大到可以公开爬行于墙面与地面上的人面硕鼠，同样既威胁着作为观看者的我们，又暗示着某种迫使它们从暗洞中出逃的威胁。

我认为世界是一团永恒存在的不可知的物质，它的初始与终极是人类的实证能力、甚至是想像力很难达到的。于是人只有在自己栖身的环境，即社会当中去奋争、去驰骋、去超越，有时分不清成功是值得自豪的，还是可悲的。一切创造力似乎被一种更强大的力量包裹着、窒息着。基于这种感受和某种潜意识，我创作了《悬浮体》。这是一个实验的、思考的过程，目的是要创造某种极限的氛围。我根据展厅的长宽和高度设计悬浮体的尺寸，又沿用梯形这一稳定而有变化的几何形。并选择了偏离常规的材料——氦气充满其中，使造型介于方和圆之间，像来自天外的飞行物。当它的自身重量与氦气浮力达到相对平衡时，就会漂浮于空荡荡的展厅里，环境也变成了超自然环境。黑底色上尘土一样的文字更增添距离感与神秘感，使人无法理解。它或许记载着久远的过去，或许预言着遥远的将来，它不属于某一种文化，而是跨越时空的某种精神或智慧被具体化、文字化。我一直没有放弃雕塑这一本体，并不断提炼其自身的语言。我希望艺术既是它本身，又能在联接不同的方向时进行思想的陈述。

从地球深处凸现出两块钢板由一把锁将其牢牢锁住。
谁是开启者？谁是锁闭者？钥匙在哪里？
人们无从辨析出他的已知和未知，所有无法叩问的疑难都锁进了《地门》的幽深之中。

生长状态　陶　(340 × 88 × 8cm) × 3　1999年　魏　华

人的植物化或植物的人化是我表现的一个主题。《生长状态》可以把它们比拟成一家人，也可以比拟成植物的不同生长过程。我比较注重过程的表现，一件事物、一个形态，凝固它并不是结果，而是状态的过程，我创造的形体大多充满了一种生长着的因子，是生命开始成型前的瞬间的永恒。

《生长状态》是我用陶土在经过有几百年历史的龙窑中烧制而成，陶的特性与火的特点都得到呈现。用陶土制造户外雕塑作品是一次有益的经验。

莎乐美　玻璃钢　75 × 45 × 45cm　1999年　瞿广慈

一位搞理论的朋友几年前就给我一个忠告：搞装置才会有出路。常会有人问我："你为什么选择具象写实的手法？"事实上，没有人比学了十几年具像雕塑的我们对过去写实雕塑更充满疑惑，传统写实雕塑在中国已度过了她最辉煌的时期，各个美术学院现在所坚持的写实教育，与其说是为了社会的需要，勿如说是其聊以存在的需要。各类标准还在，旧人还在，旧的体制还在，而新的东西，有待建立。那么，我还坚持什么？艺术的伟大之处就在于新的发现，并向人们指出新的方向，给人力量。我们不会因为看腻了布勒松的完美而扔掉照相机。当有人尝试机关枪一样的摄影时，我们又有了新的艺术体验。毁灭艺术很难，而建立更难。具体的影像资源，还有传统雕塑中的叙事性对我还在起着作用。旧的程式化的抛弃和新的观念的注入，也许会使我们惊喜地发现新大陆。真正的革命，在持续的行为里。艺术将向着它的方向前进，义无反顾。

于　凡

1966年生于山东省青岛市，中央美术学院雕塑系讲师。1988年毕业于山东艺术学院美术系，获学士学位。1992年毕业于中央美术学院雕塑系，获硕士学位。

王　芃

1971年生于北京，1987-1991年在北京工艺美术学校学习，1993-1998年在中央美术学院雕塑系学习。现为职业艺术家。

王洪亮

1953年生于山东，1982年毕业于鲁迅美术学院雕塑系，获学士学位并留校任教，1984年参加日本雕塑家细井良雄讲授石雕艺术的学习，1985年于广州美术学院学习结构素描，1988年毕业于鲁迅美术学院雕塑研究生班，获硕士学位，1994年参加苏联专家库巴索夫讲授城市雕塑艺术的高级研究班。现为鲁迅美术学院雕塑系副教授、硕士研究生导师、中国美术家协会会员、中国雕塑学会会员。

于小平

1957年生于安徽芜湖，1978年考人浙江美术学院，就读雕塑专业，1982年于浙江美术学院雕塑系毕业，分配到湖北工作，1988年于湖北美术学院雕塑专业研究生毕业,获硕士学位，并留校工作。现为湖北美术学院副教授、中国美术家协会会员、中国雕塑学会会员。

王　伟

1968年生于北京，1989年考人中央美术学院附中，1994年毕业于中央美术学院雕塑系。现为中央美术学院雕塑系讲师。

邓　乐

1951年生于四川，1978年进修于四川美术学院雕塑系，现为中国美术家协会会员、中国雕塑学会会员、四川美术家协会理事、四川雕塑学会副会长、国家二级美术师、职业雕塑家。现专事雕塑于新意象雕塑工作室。

王　中

1963年生于北京，1978-1981年在北京工艺美术学校学习，1983-1988年在中央美术学院雕塑系学习，1994-1995年在中国城市雕塑高级研究班学习。现为中央美术学院雕塑系副教授。

王克平

1949年生于河北省,自幼就学于天津市。文化大革命期间上山下乡，后当兵、做工、搞戏剧。1978年底开始自学雕刻。1984年移居法国巴黎,继续雕刻创作至今。

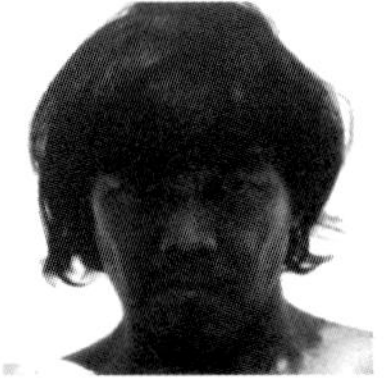

甘少诚

1948年生于北京，1965年毕业于北京第34中学，1965年到山西省沃县插队，1979年去北京参加《星星美展》，1980年转回北京待业，1989年到深圳，1995年搬回北京，1996年因酒后开车身亡。

石向东

1967年生于广西桂林市，1986年考人广西艺术学院美术系雕塑专业，1990年毕业留校任教至今，现任广西艺术学院美术系雕塑教研室主任、中国美术家协会会员、广西美术家协会副主席。

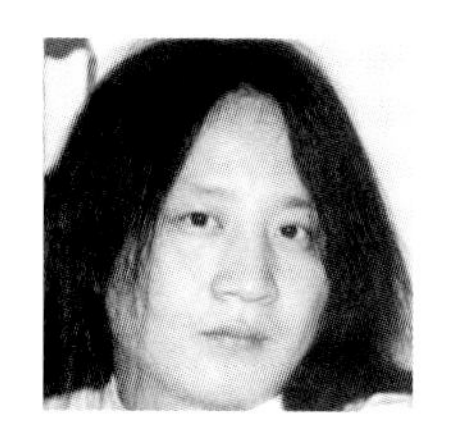

史金淞

1969年生于湖北当阳，1994年毕业于湖北美术学院雕塑系，现为湖北省美术院雕塑家。

朱　成

1946年生于成都，1952-1956年随在南京师范学院美术系就读的长兄朱同到上海、苏州、扬州接受绘画启蒙教育，1966-1972年在四川大凉山从事油画写生，1978-1979年在四川美术学院雕塑系专修雕塑。现为中国美术家协会会员、国家二级美术师、中国雕塑学会会员、四川美术家协会雕塑专业委员会副主任。

田　喜

1974年生于河南郑州，1999年毕业于湖北美术学院雕塑系，获学士学位，同年留校任教。

包　泡

1940年生于长春，1967年毕业于中央美术学院雕塑系，1976年参加“毛主席纪念堂”大型雕塑工程，1980年参加《星星美展》。

朱尚熹

1954年出生于四川省达川市，1982年毕业于中央工艺美术学院装饰雕塑专业，1991年毕业于中央美术学院雕塑系并获硕士学位。现任北京建筑艺术雕塑厂雕塑研究室主任、国家二级美术师、中国美术家协会会员、中国美术家协会雕塑艺术委员会委员、中国雕塑学会会员、中国工艺美术学会雕塑专业委员会秘书长。

田世信

1941年生于北京，1956-1964年就读于北京艺术学院美术系预科及本科，学习绘画及雕塑，1964年大学毕业分配贵州省清镇县一中任教，1978年调至贵州艺术专科学校任教，1983年加入中国美术家协会，同年赴东非四国访问，1989年10月调中央美术学院雕塑创作研究所工作。

吕品昌

1962年出生于江西上饶市，1982年在景德镇陶瓷学院美术系毕业并获学士学位，1982-1983年在中国美术学院雕塑系进修，1988年在景德镇陶瓷学院美术系获硕士学位。现为中央美术学院雕塑系副主任、副教授、中央美术学院陶艺工作室主持人、中国美术家协会会员、中国雕塑学会会员。

朱祖德

1949年生于上海，1969年上海时代中学高中毕业，赴云南省澜沧县插队，1971年调澜沧县文化馆，任美工，1978年进四川美术学院雕塑系进修，1979年调云南省工艺美术研究所，任工艺美术师。

伍时雄

1950年生于广州，1973年毕业于广州美术学院。现任深圳市艺术研究会秘书长、深圳平面设计协会会员、深圳美术家协会理事、中国工艺美术学会雕塑委员会副秘书长。

刘　威

1954年生于重庆，1981年毕业于四川美术学院雕塑系。现为四川美术学院副教授、中国美术家协会雕塑艺术委员会委员、中国美术家协会会员、中国雕塑协会会员、重庆市城市雕塑艺术委员会委员。现任四川美术学院雕塑系主任。

许正龙

1963年生于江西上饶市，1985年由景德镇陶瓷学院美术系雕塑专业本科毕业，1991年硕士毕业于中央工艺美术学院装饰艺术系雕塑专业。现为清华大学美术学院雕塑系副教授、中国工艺美术学会雕塑专业委员会副秘书长。

向　京

1968年生于北京市，1988年毕业于中央美术学院附中，1995年毕业于中央美术学院雕塑系，获学士学位。现为上海师范大学艺术学院雕塑工作室教师。

刘少国

1954年生于武汉，1982年毕业于中央工艺美术学院特种工艺美术系，装饰雕塑专业，1987年毕业于中央工艺美术学院，研究生班(国家教委委托)，1982年在该院任教至今。现为中央工艺美术学院装饰艺术系教师、中国雕塑学会会员、中国雕塑专业委员会会员。

孙　平

1953年生于广西，1987年毕业于广州美术学院，现为湖南美术出版社编辑。

仲　松

1974年生于吉林，1999年毕业于中央美术学院雕塑系，现为职业艺术家，居北京。

刘建华

1962年生于江西吉安市，1977年进入江西景德镇市雕塑瓷厂创作室工作，1985年考入江西景德镇陶瓷学院美术系雕塑专业，1989年毕业到昆明云南艺术学院任教。现为云南艺术学院美术系副教授。

孙　伟

1962年生于北京，中央美术学院雕塑系副主任、讲师。1981年毕业于北京市工艺美术学校，1989年毕业于中央美术学院雕塑系，1996年毕业于中央美术学院研究生资格班。

孙绍群

1952年生于湖北武汉，1982年毕业于广州美术学院雕塑系。现为湖北美术学院雕塑系副教授、第三工作室主任、硕士生导师、中国雕塑学会会员。

李秀勤

1953年生于青岛，1988年获国家文化交流协会奖学金赴英国学习当代艺术，1990年获英国曼彻斯特大都会大学奖学金攻读雕塑硕士学位，1999年获中国留学基金委奖学金赴美国华盛顿州立大学研究当代艺术和进行学术交流。现为中国美术学院教授。

李燕蓉

1965年生于北京，1984年毕业于北京市工艺美术学校，1991年毕业于中央美术学院雕塑系并获学士学位，现任教于中央美术学院附中。

李　亮

1975年生于辽宁省，1999年毕业于中央美术学院雕塑系本科，2000年考入中央美术学院雕塑系研究生班。

李象群

1961年生，哈尔滨人，1990-2000年在中央美术学院雕塑创作研究所工作，现为清华大学美术学院教授、中国美术家协会会员、中国雕塑学会会员。

杨　明

1962年生于福建,1989年毕业于中央美术学院雕塑系。现任职于苏州工业美术职业技术学院美术系。

李占洋

1969年生于吉林省长春市，1994年毕业于沈阳鲁迅美术学院，1994-1997年任教于四川美术学院雕塑系，1999年毕业于中央美术学院同等学历硕士研究生，现为四川美术学院雕塑系教师、中国雕塑学会会员。

李鹏程

1972年出生于安庆，1999年7月毕业于湖北美术学院雕塑系，现为职业艺术家。

杨冬白

1959年生于上海，1981-1990年在上海自然博物馆任美术师，1997年于东京艺术大学美术学部雕刻科毕业，获学士学位，1999年于东京艺术大学雕刻科毕业，获硕士学位。

杨剑平

1961年生，1982年毕业于江西景德镇陶瓷学院雕塑专业。现为上海大学美术学院雕塑系副教授、中国美术家协会、中国雕塑学会会员。

陈云岗

1956年12月生于陕西西安，1982年毕业于西安美术学院雕塑系。现任西安美术学院雕塑系副主任、副教授，兼任该院学报《西北美术》常务副主编。

陆　斌

1988年毕业于南京艺术学院设计系,1994年在深圳建立个人陶艺雕塑工作室，现任职于深圳雕塑院。

杨春临

1964年生于北京，1992年毕业于中央美术学院雕塑系，1999年在北京主办《杨春临雕塑展》。

陈妍音

1958年生于上海，1983-1988年在浙江美术学院雕塑系读学士学位，1998-2000年在悉尼大学美术学院读硕士学位，1988年至今作为雕塑家工作在上海油画雕塑院。

何力平

1949年生，1985年毕业于四川美术学院雕塑系研究班，获硕士学位。现任教于四川美术学院雕塑系，为中国美术家协会会员。

杨奇瑞

1957年生，籍贯江苏南京，1978年考入中国美术学院(原浙江美术学院)雕塑系，1982年获学士学位，1987年获硕士学位。1993-1995年赴瑞士日内瓦视觉艺术学院进修访问，并游学法、德、意等国。曾任河南省雕塑艺术创作室副主任(现河南省雕塑壁画院)，现为中国美术学院教授，院学术委员会委员、副秘书长，中国美术家协会会员，浙江省美术家协会常务理事。

吴少湘

江西人，1986年于中央工艺美术学院雕塑研究生毕业，获硕士学位并留校任教。现为中国美术家协会会员、奥地利艺术家协会会员。

余志强

1981年于四川美术学院雕塑系研究生毕业，1985年于比利时安特卫普皇家美术学院结业，获第三级高等艺术教育文凭。现为四川美术学院教授、中国美术家协会会员、中国雕塑学会常务理事、全国城市雕塑艺术委员会委员。

林　春

1960年生，福建人，1985年毕业于浙江美术学院雕塑系，现为厦门大学美术系讲师。

张克端

1960年生于内蒙古呼和浩特市，1980-1985年在浙江美术学院雕塑系学习，获学士学位，1985年留浙江美术学院雕塑系任教，1988－1991年受文化部委派，赴法国学习考察，1991年回浙江美术学院工作(现中国美术学院)。

姜　杰

1984年毕业于北京市工艺美术学校特种工艺专业，1991年自北京中央美术学院雕塑系毕业后，就职于本院雕塑创作室。

张　伟

1968年出生于山西太原，1988年毕业于中央美术学院附属中等美术学校，1988年考入中央美术学院雕塑系，1989年获国家教委奖学金，公派至苏联留学，1996年毕业于俄罗斯圣彼得堡列宾美术学院雕塑系，获艺术硕士学位，1996年回国任中央美术学院雕塑系讲师，1998年获日本国际交流基金，赴日本茨城参加ARCUS国际艺术活动。

项金国

1950年生于湖北省黄陂县，1979年毕业于湖北美术学院美术系雕塑专业，现为湖北美术学院教授、雕塑系主任、中国美术家协会会员、中国雕塑学会会员、中国工艺美术学会雕塑专业委员会副秘书长。

施　慧

1955年生，1982年毕业于中国美术学院获学士学位。现任中国美术学院环境艺术系教授、副主任。

张永见

1958年出生于山东，现在山东济宁市园林处工作。

段海康

1963年生于上海市，1988年毕业于中央美术学院雕塑系，获学士学位，1996年毕业于中央美术学院研究生资格班。现为中央美术学院雕塑系副主任、副教授。

秦　璞

1956年生于山东省济南市，1982年毕业于景德镇陶瓷学院美术系雕塑专业，获学士学位，1990年研修结业于中央工艺美术学院工业设计系。

高炢　高强

高炢，1956年生于山东省济南市，1981年毕业于山东工艺美术学院，现为济南画院画家。

高强，1962年生于山东省济南市，1985年毕业于山东曲阜师范大学，现任职于山东轻工学院。

高氏兄弟从1985年开始合作从事实验艺术创作。

展　望

1962年生于北京，1983年毕业于北京市工艺美术学校，1988年毕业于中央美术学院雕塑系，1995年本院研究生班结业。

梁　硕

1976年生于天津市蓟县，1995年毕业于天津市美术中学，1995–2000年就读于中央美术学院雕塑系并获学士学位。

高　蒙

1959年生于内蒙古呼和浩特市，1978年受天津美术学院王之江教授指引，开始学习雕塑，1982年毕业于中央工艺美术学院装饰雕塑专业，1982–1996年工作于合肥市城市雕塑领导小组办公室，1999年毕业于广州美术学院雕塑系并获硕士学位。现为广州美术学院雕塑系讲师。

萧　立

1963年生于北京，1983年于中央美术学院附中毕业，1990年于中央美术学院雕塑系毕业，1995年于中央美术学院研究生毕业。现在中央美术学院雕塑创作研究所工作，为助理研究员。

琴　嘎

1971年生于内蒙古，1987–1991年就学于中央美术学院附中，1992–1997年就学于中央美术学院雕塑系。

唐颂武

1966年生于广州，1986年考入中央美术学院雕塑系，1991年本科毕业，进入广州雕塑院工作。

渠晨明

1966年出生于安徽省马鞍山市，1986年考取浙江美术学院雕塑系，1991年毕业获学士学位，同年被保送为本院硕士研究生，1994年毕业获硕士学位并留校任教，1998年受法国巴黎国际艺术城邀请前往欧洲进行考察和研修。现为中国美术学院讲师。

靳　勒

1966年生于甘肃秦安，1991年毕业于西安美术学院，在西北师范大学美术系任讲师。现为中央美术学院雕塑系研究生，居北京。

喻 高

1971年生于北京，1991年毕业于北京市工艺美术学校，1996年毕业于中央美术学院雕塑系，同年考上中央美术学院雕塑系研究生，1999年毕业，获硕士学位。

曾成钢

1960年出生于浙江平阳，1982年毕业于中国美术学院雕塑系，1988年考入母校雕塑系攻读硕士研究生。现为中国美术学院雕塑系系主任、教授、中国美术家协会理事、浙江雕塑家协会理事会会长、浙江美术家协会副主席。

霍波洋

1956年生于沈阳，1982年毕业于鲁迅美术学院雕塑系并获学士学位，1987年毕业于鲁迅美术学院雕塑系，获硕士学位，并留校任教，1997年任教于韩国圆光大学雕塑系，为期一年。现为中国美术家协会雕塑艺术委员会委员、鲁迅美术学院雕塑系教授、系主任。

傅中望

1956年生于武汉，1982年毕业于北京中央工艺美术学院装饰艺术系雕塑专业。现为湖北省美术院雕塑家、一级美术师、中国美术家协会理事、中国雕塑学会会员。

隋建国

1956年生于山东省青岛市，1984年毕业于山东艺术学院美术系，获学士学位，1989年毕业于中央美术学院雕塑系，获硕士学位。现为中央美术学院雕塑系主任、副教授。

魏 华

1963年出生于湘西，苗族，1989年毕业于广州美术学院雕塑系。现任职于佛山雕塑院，为三级美术师、广东省美术家协会会员。

曾 岳

1992年毕业于四川美术学院雕塑系，同年留校任教，现任雕塑系讲师。

黎 明

1957年出生于湖南长沙，1985年毕业于广州美术学院雕塑系，获学士学位，继而在该系攻读研究生，1988年毕业，获该专业硕士学位，留校任教至今。现为广州美术学院雕塑系主任、教授、中国美术家协会会员、中国体育美术促进会特邀理事、广州市城市雕塑艺委会委员。

瞿广慈

1960年生于上海市南汇县，1989年毕业于浙江美术学院附中，1994年毕业于中央美术学院雕塑系，获学士学位，1997年毕业于中央美术学院雕塑系，获硕士学位。现为上海师范大学艺术学院雕塑工作室教师。

(鄂)新登字 02 号

图书出版编目 (CIP) 数据

中国当代美术图鉴 1979~1999 雕塑分册 / 鲁虹主编 .
—武汉: 湖北教育出版社, 2001
(中国当代美术图鉴 1979~1999 丛书)
ISBN 7-5351-2986-2
Ⅰ. 中… Ⅱ. 鲁… Ⅲ. ①美术—作品综合集—中国— 1979~1999
②雕塑—作品集—中国— 1979~1999 Ⅳ. J121

中国版本图书馆 CIP 数据核字(2001)第 027943 号

中国当代美术图鉴 1979-1999
主编
鲁虹
策划
陈伟
整体设计
山声设计工作室
雕塑分册
主持人
傅中望
责任编辑
牛红
责任印制
张遇春
出版发行:湖北教育出版社
地址:武汉市青年路 277 号　邮编:430015　电话:027-83625580
网址:http://www.hbedup.com
经销:新 华 书 店
制作:武汉达美平面设计有限公司　邮箱:dmdesign@public.wh.hb.cn
印刷:精一印刷（深圳）有限公司　地址:广东省深圳市罗湖区太白路 3013 号

开本:880mm × 1230mm　1/16
印张:10.25 印张　3 插页
版次:2001 年 9 月第 1 版　2001 年 9 月第 1 次印刷
印数:1 — 3000
书号:ISBN 7-5351-2986-2/J · 31
定价:80.00 元
(如印刷、装订影响阅读, 承印厂为你调换)